FAMÍLIA É TUDO

Do Autor:

As Solas do Sol

Cinco Marias

Como no Céu & Livro de Visitas

O Amor Esquece de Começar

Meu Filho, Minha Filha

Um Terno de Pássaros ao Sul

Canalha!

Terceira Sede

www.twitter.com/carpinejar

Mulher Perdigueira

Borralheiro

Ai Meu Deus, Ai Meu Jesus

Espero Alguém

Me Ajude a Chorar

Para Onde Vai o Amor?

Todas as Mulheres

Felicidade Incurável

Amizade é Também Amor

Cuide dos Pais Antes que Seja Tarde

Minha Esposa Tem a Senha do Meu Celular

CARPINEJAR

FAMÍLIA É TUDO

NOSSOS FILHOS, NOSSOS PAIS, NOSSOS AVÓS, NOSSA VIDA.

6ª edição

BERTRAND BRASIL

Rio de Janeiro | 2025

Copyright © 2019, Fabrício Carpi Nejar

Texto revisado segundo o novo
Acordo Ortográfico da Língua Portuguesa

2025
Impresso no Brasil
Printed in Brazil

CIP-BRASIL. CATALOGAÇÃO NA PUBLICAÇÃO
SINDICATO NACIONAL DOS EDITORES DE LIVROS, RJ

C298m
6ª ed.

Carpinejar, Fabrício
Família é tudo: nossos filhos, nossos pais, nossos avós, nossa vida / Fabrício Carpinejar. – 6ª ed. – Rio de Janeiro: Bertrand Brasil, 2025
176 p.

ISBN 9788528624410

1. Escritores brasileiros - Biografia. 2. Crônicas brasileiras. 3. Famílias. I. Título.

19-59699

CDD: 869.809492
CDU: 82-94(81)

Vanessa Mafra Xavier Salgado – Bibliotecária – CRB-7/6644

Todos os direitos reservados. Não é permitida a reprodução total ou parcial desta obra, por quaisquer meios, sem a prévia autorização por escrito da Editora.

Direitos exclusivos de publicação adquiridos pela:
EDITORA BERTRAND BRASIL LTDA.
Rua Argentina, 171 – 3º andar – São Cristóvão
20921-380 – Rio de Janeiro – RJ
Tel.: (21) 2585-2000 – Fax: (21) 2585-2084

Atendimento e venda direta ao leitor:
sac@record.com.br

Apresentação

O melhor presente para dar a si mesmo é perdoar. Conceda o perdão para a surpresa de quem o magoou. Desfaça discussões, ressentimentos e divergências com o poder curativo da palavra, a partir de um telefonema, de uma carta, de um bilhete, de um *inbox*.

Peça desculpas no lugar do outro, ensine o outro a pedir desculpas, ofereça o exemplo.

Quem perdoa renasce. Quem perdoa readquire a leveza da vida. Quem perdoa não fica preso a inimizades e reabre as portas de sua sensibilidade.

É tão triste atravessar os dias separado daquele que já admirou, apartado de um irmão, de um pai, de uma mãe. Torne o seu calendário completo outra vez. Família é tudo.

Não importa se está certo, se não teve culpa no desentendimento, se foi vítima de um engano ou de uma fofoca, mostre-se acima dos fatos, invente a realidade, apresente a superioridade emocional de conferir mais uma chance a alguém e vença as mágoas que apenas trancam o seu caminho.

O único jeito de esquecer uma lembrança triste é criando lembranças felizes. Esteja junto de quem gosta, ainda que estremecido. Estar junto é permitir que impressões inéditas surjam, apequenando os problemas antigos de convivência.

O orgulho só serve para separar as pessoas, portanto, escolha o amor em detrimento dele. Alcance o seu perdão de presente — não custa nada e vale para sempre.

Peça perdão, mas sem atropelar, com calma e convicção. Não falando da boca para fora, e sim mudando de dentro para fora. Pois há todo o trabalho de exercitar o entendimento e não desistir das próprias resoluções.

O perdão demora muito tempo para ser cumprido depois de ser selado.

Quando escrevi *Cuide dos pais antes que seja tarde*, inaugurava a minha jornada para ser um filho melhor. Não aconteceu a transformação num passe de mágica. Assumir não é provar, promessas não remediam as mágoas.

Eu tateava o meu comportamento viciado na pressa e na indiferença, não enxergava com clareza o adulto avarento em que me transformara e o quanto me distanciara emocionalmente dos meus pais, Carlos e Maria, ambos de oitenta anos.

Eu precisava ir fundo em minhas lembranças, desfazer distorções, deixar de ser uma criança mimada competindo com os irmãos pelos privilégios familiares, ter noção de que os pais me davam tudo o que podiam, mesmo quando não era o que eu desejava, e concluir que eles não trapaceavam nem escondiam o jogo: se eu não recebia mais era porque não tinham mais nada para me oferecer.

O perdão não é propor um futuro diferente, é alterar também o passado de vítima, apagar as mentiras que criamos para proteger os nossos defeitos.

O perdão é confiar de igual para igual e cuidar como gostaria de ser cuidado. Significa perder o monopólio da dor, abdicar da exclusividade das reclamações, dividir as fraquezas, bancar a responsabilidade pelos erros de comunicação.

Culpamos os pais pelo que somos, em vez de inocentá-los de nossas escolhas.

Ao pôr um ponto final em *Cuide dos pais antes que seja tarde* para o leitor, mal sabia que o livro apenas começava em mim. Vi que um novo livro insistia em aparecer. Era agora o amor dos meus pais me reescrevendo.

Meu pai estava com a pressão alta e o levei para a emergência do hospital.

Ele foi conduzido para a enfermaria e fiquei com o seu celular e a sua carteira. Na doença, não existem posses.

Eu era o seu responsável pela primeira vez na vida. Precisava preencher o prontuário médico.

A atendente me entregou a folha alertando que se tratava de perguntas simples. Não deslizei a tinta na página. Peguei a caneta e mordi a tampa.

— Biotipo sanguíneo?

Eu não sabia.

— Alergia?

Eu não sabia.

— Já teve sarampo, caxumba, catapora?

Eu não sabia.

— Realizou alguma cirurgia?

Eu não sabia.

— Vem usando medicação?

Eu não sabia.

Vi que eu não conhecia o meu pai. Já ele teria facilidade em preencher qualquer ficha a meu respeito.

Mesmo com quatro décadas e meia de oportunidades, meu pai surgia como um desconhecido íntimo. Um anônimo. Eu não me esforcei para descobrir quem me cuidava durante todo esse tempo. Nossa relação foi uma via de mão única.

Terminei reprovado no teste de filho. Deixei o teste em branco, para o meu constrangimento. A atendente tentou disfarçar o desconforto: "depois perguntamos para ele".

O prontuário médico tornou-se o meu obituário filial. Eu me dei conta de que nunca me preocupei em desvendar quem habitava a função de "pai", em determinar as suas escolhas, em revelar a pessoa atrás da roupagem familiar.

Meu pai veio com uma encomenda pronta quando nasci e jamais desfiz o embrulho para buscar o que havia dentro. Não desfrutava de condições para responder nada por ele, pois o reconhecia como eterno provedor, uma fortaleza inexpugnável onde me socorria em caso de necessidade. Só eu pedia ajuda, não ajudava. Só eu cobrava afeto, não devolvia. Só eu esperava recompensas, não observava também a sua carência e sua fragilidade.

Não questionei o que ele viveu antes de mim. Não sabia se ele teve cachorro, qual era o nome, se ele sofreu com a perda do mascote, se arcava com castigos na infância, qual era o seu melhor amigo, se dançava nas festas da escola ou permanecia encostado na parede, se nadava, se andava de bicicleta, qual era a carreira com que sonhava, qual era a sua maior felicidade, se içava pandorga, se pescava, se participava de acampamentos, com o que brincava, se jogava futebol, qual era a sua posição, se terminava como goleiro porque não fazia gol, se dividia o quarto com os irmãos, com qual idade começou a ler e a escrever.

Eu simplesmente me conformei em ser o seu filho, jamais fui o seu amigo.

Os pais podem mudar de opinião. Aliás, eles mudam de opinião. Suas palavras não são eternas. Os filhos não aceitam as transformações dos pais porque percebem qualquer juízo de ambos como um mandamento inviolável.

Eles teriam que manter a mesma posição por toda a trajetória?

É impossível. Nem tudo que vem da boca deles é conselho, nem tudo é tábua de salvação.

Se um dia falaram que não gostam de tal coisa, parece que a ideia será para sempre. Não é, não há como ser.

Eles apresentam restrições e preconceitos, mas melhoram. Abrem a cabeça, abrem o coração. São humanos, como os próprios filhos, em constante transformação. Erram, vacilam, enganam-se, são enganados, levam fora, tropeçam em vexame e se reerguem. Alguns são arrogantes, depois se mostram humildes e compreensivos. Alguns são carinhosos, depois se isolam na mais completa indiferença.

Aqueles mesmos pais que não queriam que você tivesse animais na sua infância são capazes de adotar cachorros na velhice. E ainda chamam os cachorros de filhinhos (ou seja, você ganhou irmãos). Os cachorros dormem na cama deles, algo inacreditável diante da antiga fobia.

Coerência é mudar, e não ficar parado sem ser modificado pelo tempo.

Conhecemos os pais pelas funções. O Pai. A Mãe. Como entidades. Nunca os chamamos pelos nomes, e sim pelas funções: meu pai, minha mãe. O que devemos perguntar, antes que seja tarde, é: quem são eles? Você pode passar a vida sem conhecer realmente os seus pais. Pois há pessoas dentro do Pai e da Mãe. Pessoas ansiosas, pessoas esperançosas, pessoas sofrendo com a realidade, pessoas com os seus sonhos não realizados e o igual medo de não ser amado.

Os pais aprendem a vida dos filhos de cor e salteado, mas os filhos não param para perguntar sobre o passado dos pais.

Amar depende da permanente curiosidade. Nunca pensar que conhece realmente alguém.

Qual será a sua surpresa ao descobrir que você é mais parecido com os seus pais do que imagina?

E, de repente, descobrindo que os pais mudam, pode estranhamente mudar de opinião sobre eles.

Quando você aceita o amor dos pais, é porque finalmente amadureceu e se aceitou. Corresponde a uma alta
na terapia familiar.

Quando você não sente mais vergonha de abraçar e
beijar os pais em público, quando você não sente mais
vergonha de suas piadas à mesa, quando você não sente
mais vergonha do que eles falam de você para os amigos,
quando você não sente mais vergonha de seu completo
despreparo para localizar a câmera no celular ou mandar
uma foto, quando você não sente mais vergonha de
alguma roupa antiga ou de algum sapatinho colorido
ou de alguma bolsa cafona, quando você não sente vergonha de apresentar o namorado tatuado ou a namorada
de piercing, quando você não sente mais vergonha de
folhear os álbuns de fotos, quando você não sente mais
vergonha do pai aplaudindo um pouso de avião difícil
ou da mãe gritando "Bravo!" em um filme no cinema,

quando você se vê livre dos preconceitos que adiam a paz e participa do vexame infinito que é viver.

Nesse momento, você, tão acostumado a criticar, também passa a confiar nos elogios dos seus pais. Quem presta atenção somente no lado ruim dos outros não é capaz de identificar o lado bom.

Não é fácil dizer "eu te amo" para os pais depois da infância.

Não há mais abundância de vontade, o pensamento torna-se seletivo, destinamos as juras para as relações amorosas, economizamos os cumprimentos jurando que eles sabem e que não precisam mais. Crescemos e nos desidratamos de afeto. Não há mais a obrigação de trabalhinho da escola para os dias comemorativos. Não há mais desenhos e bilhetes. Não há mais abraços de saudade e brinquedos esparramados para a confidência.

Nem o filho adulto entende direito o que aconteceu, como aconteceu, como pela primeira vez se calou na hora de falar e se condicionou a não dizer mais.

Antes, quando pequeno, era tão simples o "eu te amo, pai", o "eu te amo, mãe". Fluía a toda hora, como agradecimento e socorro.

Mas o hábito de ter os seus próprios segredos e a sua própria vida fez com que ele se escondesse dos pais dali por diante. E não mais entregou a emoção ainda quente, aceitou a censura e o blecaute.

Não é que o "eu te amo" tenha sumido. Ele vem à garganta e é engolido de volta. Insiste em existir, imperioso no interior, apenas não é permitido que passeie externamente.

Corta-se o "eu te amo" com os dentes e ele jamais jorra.

O "eu te amo" chega a arranhar a garganta, machucar o céu da boca, mas não é transformado em voz, para não se parecer criança novamente.

O "eu te amo" continua vivo, só que o orgulho não o deixa subir. O orgulho substitui o amor e traz o sacrifício de perder quem se ama pela indiferença e arrogância.

E os pais ficam esperando que um dia, de modo involuntário ou por puro lapso dos mecanismos de defesa, o "eu te amo" venha de novo aos seus ouvidos.

São décadas e décadas sem o afago dos lábios.

Eles enlouquecem de espera, penam no deserto das palavras, morrem de ansiedade no jejum imposto pelos tabus e preconceitos.

Baixam a cabeça para ouvir melhor as nossas conversas, aguardando um milagre, como se estivessem encontrando uma estação perdida no radinho de pilha.

Anjo da guarda existe.

Minha mãe, quando tinha quatro anos e morava no campo, apedrejou uma cobra sem saber de sua natureza venenosa. Matou-a só porque ela foi mal-educada e mostrou a língua. Ela, como eu, poderia não estar aqui se não fossem as asas da pureza lhe soprando pensamentos protetores.

Meu pai, aos doze anos, dividia a escova de dente com a sua prima. A partilha do material de higiene era um costume da época. Sua prima morreu de tuberculose, ele milagrosamente não foi contaminado.

Eu também escapei várias vezes na vida graças a um último detalhe inexplicável. Estava por me machucar, e recuei do nada. Algo me dizia para não fazer aquilo. Em meus ouvidos sempre ventavam pressentimentos. Ou terminava empurrado pelo invisível para o lado contrário do risco.

Colegas mais velhos queriam que eu provasse a minha coragem e me induziam a enganos fatais. As piadas matam — descobri depois.

No porão de um deles, chamaram-me a pegar e comer um queijo da ratoeira. Eu, menino mirrado e puro, desconhecia o funcionamento daquela armadilha. Quando coloquei os meus dedos no torrão, caí para trás, desequilibrado, e vi a guilhotina cortar o vazio na minha frente. Por um triz, não perdi os meus dedos.

Como me aplaudiram pela determinação, não fiquei com a clara imagem de engano.

Na escola, o mesmo bando continuava a me testar e me ofereceu uma bala de coco: brilhante, branca, maravilhosa. Estranhei que nunca a tinha visto no baleiro da cantina. Mas não profetizava segundas intenções. Não intuía qualquer chacota por trás da generosidade. Achava que todos gostavam de mim.

— Você vai amar! Chupe até o fim e depois pode mastigar.

Quando a levantei para a boca, para a alegria indisfarçável de quem me deu, ela escorregou e caiu na terra. Ficou muito suja. Coloquei em meu bolso e levei para casa para perguntar aos pais onde a comprava, porque eu desejava retribuir o carinho. Afinal, desperdicei a guloseima por ser tão desajeitado.

A mãe só gritou:

— Onde você achou isso?

Diante do seu espanto, deveria ser mesmo rara. Expliquei que ganhei a bala dos meus novos amigos.

— Não é bala, Fabrício, é naftalina!

Entre um anjo e uma mãe, o filho sempre caminhará em direção a sua mãe. Nenhum anjo é capaz de ser tão anjo como a mãe: protegendo dos perigos, cuidando dos ferimentos dos tombos, confiando com a paciência do perdão, afastando os obstáculos, pedindo licença para a dor.

Só uma mãe pode salvar, por exemplo, o filho das drogas.

Só uma mãe pode enfrentar a abstinência, procurar a reabilitação, suportar as crises amargas do vício.

Só uma mãe pode pedir ajuda quando o filho se cala de vergonha.

Só ela é forte para se repetir e colocar o adulto a dormir e ensiná-lo de novo a sonhar, a ficar de pé, a falar, a amar.

Só ela é capaz de entender que, dentro de um dependente químico, existe uma criança como refém. E que ela merece não apenas uma segunda chance, mas tantas chances quanto o amor inventar.

Ser mãe não é padecer no paraíso, é atravessar o inferno sozinha com o filho no colo.

Tenho inveja dos jogadores de futebol. Logo que assinam o primeiro contrato profissional com um grande time, o pontapé inicial é comprar uma casa para a mãe. O maior interesse deles é resolver a vida dos pais, realizar o sonho da velhice feliz.

Para quem se manteve com pouco, no pouco, na economia de se virar em muitos para juntar o básico no mês, o nome na certidão de registro de imóvel é a verdadeira certidão de nascimento.

Algumas pessoas realmente nascem com a aquisição da casa própria — vem um alívio de ter finalmente o seu cantinho depois de viver de favor e pedindo emprestado toda a trajetória.

Os jogadores entendem o valor desse ideal. Apesar do deslumbramento adolescente com o sucesso, não pensam egoisticamente, não se esbaldam em gastança para o seu benefício, buscam retribuir, antes de tudo, os sacrifícios e as renúncias de sua senhora. A prioridade é a mãe, e só depois vão caçar um lugar para si. Anseiam pela bênção das suas santas, agradecendo as madrugadas viradas e as marmitas das viagens aos treinos.

O que me dói, por outro lado, é perceber tantos filhos com condições, bem resolvidos financeiramente, esclarecidos intelectualmente, com carreiras sólidas e de projeção, que abandonam os próprios pais à sorte.

Nem é o caso do gesto grandiloquente de oferecer uma residência, mas pelo menos deveriam separar um quartinho para os seus protetores. Só que nem isso fazem. Sequer planejam um espaço mínimo em sua casa, um espaço com nome e sobrenome, para os pais se sentirem à vontade e acolhidos.

Fazem a maior diferença as gavetas vazias para colocar as roupas da mala, fazem a maior diferença os lençóis cheirosos e a toalha dobrada na cama, fazem a maior diferença a véspera e ser desejado.

Simplesmente os filhos abrem o sofá da sala, como se os pais fossem hóspedes do amor, que devessem pernoitar e jamais permanecer.

Numa discussão, a minha filha tentou me diminuir:

— Você está igualzinho aos seus pais!

Emudeci por instantes, para entender a comparação e pensar quem realmente são os meus pais.

Meus pais me ensinaram a andar, a falar, a pedalar, a nadar, a conviver. Meus pais pagaram o meu estudo e me deram a liberdade de ser jornalista, jamais amaldiçoaram a minha escolha, completamente diferente da profissão deles.

Meus pais apostavam em mim quando o meu rendimento estava abaixo da média e festejavam quando alcançava as notas.

Meus pais trabalhavam dois turnos e encontravam forças para cozinhar de noite e deixar pronto o almoço do outro dia.

Meus pais me disciplinaram a ser educado nas adversidades e a ser gentil até com quem não merecia — bons modos independem de como sou tratado.

Meus pais são honestos, dedicados, carinhosos, esforçados. Nunca roubaram. Nunca burlaram a lei.

Meus pais foram sinceros mesmo quando eu não sabia ouvir, foram compreensivos mesmo quando eu não sabia falar.

Meus pais admitiram as mais estranhas namoradas dentro de casa. Eles me incentivaram a sair de noite com os amigos, apesar do medo e da vigília, apesar de suspirarem somente quando eu colocava a chave na porta.

Sou mesmo filhinho do papai. Sou mesmo filhinho da mamãe.

Isso não é insulto, é elogio, minha filha. Eu me pareço com eles, eu sou igual a eles, cada vez mais.

Tomara que você possa se parecer também com os seus avós.

Acho que a minha filha assimilou a advertência. Porque demonstramos apreço quando repartimos os nossos dias sem necessidade.

Ela deu para se encontrar com a minha mãe no mesmo restaurante toda terça.

É a reuniãozinha particular delas, alheia à minha presença. Já traçaram uma rotina.

Faça chuva, faça sol, lá estarão elas na mesma mesa, perto do caixa: Maria, oitenta anos, e sua neta Mariana, 25 anos.

O curioso é que a mãe chega sempre com uma sacola de frutas para Mariana.

Braçadas de bergamotas, maçãs, bananas, laranjas. Como se fosse uma entrega do Ceasa.

Colocou na cabeça que a neta não pode se descuidar das vitaminas. O que soava como uma lembrança virou um hábito. Em vez de advertir dos cuidados com a alimentação, traz os conselhos materializados.

Nem pergunta se ela está precisando, surge com a oferenda irrecusável.

Depois do almoço, Mariana parte para a faculdade (cursa Letras na Universidade Federal do Rio Grande do Sul). Ela tampouco reclama do incômodo de levar a sacola para longe, no campus do Vale, em Viamão, afora a sua pesada mochila com cadernos e livros.

Mariana poderia avisar a vó de que buscaria as frutas outra hora, como qualquer filho faria, por preguiça e comodidade. Mas agradece o contrabando de pomar com um beijo na testa. Anda de ônibus cheirando a tangerina, perfume que fica ainda mais forte no inverno.

A avó poderia não se dar o trabalho de passar sempre na fruteira antes do restaurante. São cinco quadras a mais em seu trajeto pelo bairro. Conta com a liberdade da velhice de saltear o compromisso, esquecer algum dia, não manter essa obrigação. Mas jamais muda os planos. Às vezes vem com um abacate ou um abacaxi, em dias mais comemorativos.

São gentilezas mútuas, de quem se gosta, se admira e se reconhece. Quando duas gratuidades se encontram, guarde a certeza de que é amor.

Eu perguntei, de enxerido, sobre essa mania praticada pela mãe. Se existia algum motivo particular, alguma metáfora escondida no gesto, além da preocupação preventiva com a saúde.

— As frutas não caem longe do pé, meu filho. Não custa avisar para a minha neta.

Mas, na tentativa de firmar a proximidade da filha comigo, cada vez mais ela vem se parecendo com a sua vó. Elas formam agora o caroço de uma polpa doce e sumarenta. E são inesquecíveis porque repetem as frugalidades semanais com dedicação.

A família não é um conto de fadas, mas os contos de fadas não ajudam nem um pouquinho a família.

Cinderela é maltratada pela madrasta, o que todo mundo sabe, mas também pelas duas irmãs. Nem as irmãs inspiram confiança. O mesmo pode-se notar com os Três Porquinhos, que entram em uma competição para ver quem é o melhor. O pai de Branca de Neve é omisso e o da Bela e a Fera sacrifica a filha para se salvar. Pinóquio não pode mentir, senão perde o paradeiro humano. Lar é prisão, feito de inveja e ciúme.

As histórias só despertam suspeitas dentro de casa. Passa-se a mensagem de que o perigo dorme no quarto ao lado. A salvação vem de fora: ou com príncipes ou com anões, estranhos que devem resgatar as vítimas dos grilhões domésticos.

Talvez a avó de Chapeuzinho Vermelho seja uma exceção à regra, mas ela também sofre por ser boazinha.

Quem disse que as crianças não guardam essas ciladas imaginárias até darem o bote na adolescência? Como gostar do padrasto ou da nova mulher com quem o pai casa? Como não rivalizar com os manos? Como não se indispor contra as tarefas e não entender os encargos de arrumar a cama, faxinar e lavar a louça como exploração e castigo?

Na verdade, guarda-se o condicionamento de que é preciso suportar pai e mãe, aguentar os irmãos, para uma redenção externa, pessoal e egoísta. Alívio é se ver livre das próprias raízes e viajar o mundo.

Não existem noções de solidariedade e de completude nos laços de sangue. Ninguém ajuda ninguém a ser feliz ou a superar os ritos de passagem. É a ideia que vigora nas construções maniqueístas ficcionais.

Não amamos a família. Pois atribuímos a ela nossa culpa e a fonte de nossos problemas. Erramos porque temos a referência traumática de tal mãe ou de tal pai, uma completa e oportunista isenção de nossas responsabilidades e de nossas escolhas. Os desvios são debitados sempre em nossa origem. Quando acertamos, acertamos sozinhos. Os méritos são exclusivamente nossos. Quando falhamos, são os nossos pais. É um jogo psicanalítico injusto.

O amor vira atenção plena com os filhos.

Era possível, outrora, tapear os pensamentos, enganar a dispersão, fingir-se ouvindo. Podia estar naturalmente com a cabeça em outro lugar, fugir do meu peso.

Com os filhos, os olhos são todo o corpo, os olhos vêm antes dos olhos, vêm no instinto.

A minha intuição acordou com as minhas crianças. Antes ela dormia, hibernava, mal a consultava. Não tinha medo de que alguém que amava morresse.

A paternidade me converteu num animal da clarividência. Não havia chance de me abstrair sob o risco de um acidente. Estava entregue ao momento presente, em tempo integral.

Colocar o bebê na cama e não poder me virar para os lados com receio de que caísse. Levá-lo para a praça e não me desgrudar do que ele colocava na boca. Abrir espaço para ele brincar no chão de casa e acompanhar a sua curiosidade pelas paredes. Vê-lo caminhar e observar os obstáculos e degraus pela frente. Dar banho e não permitir nunca que ele escorregasse na banheira. Deixá--lo correr de felicidade na rua e gritar, desesperado, para que ele parasse na esquina — ele pensava que eu estava brincando, corria mais, não me obedecia e exigia que eu voasse para segurá-lo. Ele ria em meus braços, eu quase chorava com os carros passando perto dele, sem piedade.

Nunca mais dormi pesado, nunca mais me distraí, nunca mais relaxei.

Em retrospectiva, todo pai e toda mãe são sobreviventes da fragilidade de seus pequenos. Nosso amor é feito, diariamente, da comoção com quase-mortes.

Uma exigência de casa me salvou. Um hábito simples determinou o meu jeitinho de amar. Para sempre amar enxergando, amar com coragem.

Todos os mandamentos de berço são os votos de Minerva em meus dilemas. Quando estou em dúvida numa decisão, eu me inspiro naquilo que aprendi quando pequeno. A receita é imbatível. Não importa se trago uma boa ou má notícia, devo assumir a responsabilidade de mensageiro.

Sinceridade é pontualidade. Deixar de comentar algo importante quando já se encontrou com alguém cria incontornável atrito: "Por que você não me contou antes?"

Só me cabe a hombridade de não adiar, não distorcer e não enrolar: enfrentar os problemas com rigor, não dando desculpas, não me isentando da gravidade do que penso, não colocando a culpa em terceiros.

Educação é levar a sério o que os pais dizem. Eu não questiono, obedeço, eles são mais velhos do que eu e querem o meu melhor. Não nasci sabendo, malandragem é arrogância.

Minha mãe não me permitia conversar de costas para ninguém.

— Nunca dê as costas enquanto fala. É afronta, é grosseria, é falta de respeito.

Vivia corrigindo a minha postura diante de colegas e familiares. Meu quadril ficou firme como um poste. Era uma chatice que eu odiava na época, mas hoje faz muito sentido.

Ela pedia que eu ficasse em silêncio até me aproximar do interlocutor. A palavra tinha de esperar até estar finalmente frente a frente.

O conselho me serviu nos términos de relacionamentos (jamais acabar uma história por telefonema ou mensagem), na confissão de erros, na retratação de amizades. Tudo precisava ser resolvido presencialmente, cara a cara, para não restar dúvidas.

Tanto que a mãe não aceitava que eu conversasse de longe, zanzando pelos corredores ou confinado no quarto.

— Deseja me dizer algo? Venha até aqui e me diga.

Ela costumava explicar que não me ouvia direito, um truque que me constrangia e me impedia de enganá-la.

Encarar a mãe tornava qualquer mentira complicada. Uma coisa é mentir pela boca, outra bem diferente é mentir pelos olhos.

Não dou as costas para qualquer pessoa. Até porque nenhuma pessoa é qualquer pessoa.

Duas mãos juntas, a esquerda do filho e a direita do pai. Como se fossem de um só corpo. Como se fossem do mesmo corpo. Dois homens se amando sem covardia, sem o receio de demonstrar o sentimento em público.

Reconheço a temperatura da pele, o peso dos ossos, a força do cumprimento.

As doces mãos do meu pai e as suas manchas enternecedoras.

As calejadas mãos do meu pai: um pássaro pousando, mexendo com as árvores em torno de nós.

As suadas mãos do meu pai: um pergaminho no qual enrolo os meus dedos.

As experientes mãos do meu pai: vejo com nitidez o mapa hidrográfico nas veias, os rios de seu sangue desembocando em meu toque.

A mão soberana do meu pai, que aperta a minha mão em qualquer lugar, a qualquer idade, para afastar os perigos: eu ainda sou a sua criança atravessando a rua.

Há certos rituais que ainda são dos homens, hábitos exclusivos entre pai e filho que não podem se perder com o tempo e a tecnologia.

Ensinar a se barbear com a devida espuma é um deles. Nada mais bonito do que pai e filho próximos no espelho, rostos sobrepostos, o pai pedindo licença para descer a lâmina na pele do filho, avisando que não vai machucá-lo, que não é para ter medo, demonstrando a firmeza do gesto diagonal. O filho prestando atenção e admitindo a exceção de uma mão que não a sua tocando sua face, como um beijo diferente, como parte da sua vida. E depois colocar a toalha quente e borrifar loção, estapeando levemente os poros abertos e partilhando a ardência saborosa e perfumada da virilidade. Que tudo termine numa risada com "entendi, pai, entendi".

Dar o nó da gravata é outra lição essencial. Acabei de explicar ao meu filho Vicente. Tinha que ser eu. Para que pudesse se lembrar de mim em sua formatura, em seus dias de emprego, em suas saídas solenes para festas e casamentos.

É hastear a bandeira do nosso amor no colarinho. A gravata traz uma delicadeza séria, uma doçura digna. Não importa a cor, será o nosso jardim nos ombros.

Quando ele firmou o nó pela primeira vez em seu pescoço, senti que nenhum mal ou desavença posterior nos soltaria. Estávamos presos aos cadarços das camisas.

Foi um misto de orgulho e nostalgia. Era pôr um laço definitivo de filiação. Eu o deixava ir para ficar na memória. Aceitava, com dificuldade, que ele estava grande, que tinha crescido, que deveria abrir seu caminho sem precisar de mais ninguém para pedir favor.

Não haverá abraço que nos torne tão rentes como naquele momento.

Assim que deve ser: é o filho que faz a gravata no enterro do pai. Valor a ser passado de geração a geração, pelos ciclos da existência.

Só ele repetirá a minha assinatura, ponto por ponto, dobra por dobra, não aceitando a ponta da gravata maior do que a cintura, não aceitando a despedida de qualquer jeito, mantendo o respeito e o capricho da minha essência na aparência.

Só usei um terno até os quinze anos.

Um terno preto e um par de sapatos escuros. Usava para todas as situações que exigiam formalidade. Ia sempre com o mesmo traje a casamentos, batismos, enterros e formaturas da família. A mãe soltava a bainha conforme espichava, as mangas do paletó avançavam aos cotovelos. Não se cogitava comprar outro. Custava caro, os olhos da cara, e nunca reclamava.

Terno era para a vida inteira na minha infância. Eu crescia, ele encolhia. Andava com ele absurdamente menor, apertado, pelas horas graves da honra. Não deveria faltar com o respeito quando colocava as minhas pernas e o meu tronco nele, roupa de ser grande e forte, precisava mastigar as palavras e suportar o silêncio.

Pegue o seu terno — meu pai me avisava com brevidade.

E eu tinha a noção de que alguém havia morrido. E tentava parecer mais triste do que realmente estava. O chamado vinha claro e inegociável. Não podia rir, não podia brincar, não podia correr, não podia bagunçar com os meus irmãos.

Assim como havia o pijama para dormir, havia o terno para ser adulto. Ele me servia para antecipar a maturidade. Ele me preparava para a barba e para as dores. Era um tempo futuro recebido com antecedência, uma amostra grátis da velhice durante o meu corpo em formação, uma iniciação nas conversas sussurradas e nas despedidas.

Talvez eu não tivesse crescido sem o terno, confidente das primeiras lágrimas e sustos, cúmplice do mundo misterioso dos casamentos e divórcios, da culpa e do perdão, das demoradas celebrações. Sem ele, jamais entenderia que existe o momento de rir e o momento de não fazer piada, o momento de festejar e o momento de se calar.

Lembro que não o lavava, ele não conheceu a água e a espuma, o balde e o sol, minha mãe simplesmente passava uma escova em seus ombros para retirar os cabelos e a poeira e estava pronto para a nova batalha.

No meu armário, num cabide solitário de madeira, ainda o conservo. Ele preserva o cheiro e o suor da primeira metade da minha história, o DNA do meu espírito.

Meu pai e toda a sua geração eram adeptos de arrumar os eletrodomésticos na base do tapinha.

Estação do radinho falhava, tapinha. Transmissão da televisão tremia, tapinha. Liquidificador enguiçava, tapinha. Máquina de lavar não se mexia, tapinha. Aspirador de pó perdia a força, tapinha. Máquina de cortar grama soluçava, tapinha. Telefone mudo, tapinha.

O conserto acontecia em último caso. A assistência técnica devia se chamar, na época, de enfermaria. Os objetos chegavam espancados. Não duvido que válvulas tenham saltado do seu lugar de origem.

Havia uma tensão na hora de escutar o jogo do time ou ao ver um programa predileto. O som falhava, a imagem sumia e, no fim, assistíamos ao pai tentando reanimar os aparelhos aos tabefes, rezando, conversando com Deus, acreditando na superstição dos toques e empurrões.

Se ele restabelecia a conexão, festejávamos a sua figura. Fingíamos mesmo que a diferença estava em seu punho, em sua agitação nervosa e desordenada. Se não nos devolvesse a transmissão, ele engolia o orgulho e se trancava no quarto, ofendido.

Não contávamos com a certeza de que conseguiríamos acompanhar os nossos desejos. Aprendíamos a enfrentar a frustração e encontrar outra coisa para nos entreter. Improvisávamos diante dos aparelhos pifados, resignados a uma semana de conserto. Aceitávamos a instabilidade como parte natural do processo.

Sem futebol, sem novela, sem filme, inventávamos tempo para um livro, para uma brincadeira, para uma conversa com amigos na rua. Ninguém deixava de viver.

Não experimentávamos o paladar seco do pânico porque os planos originais não davam certo. Mudávamos a direção das velas e a embarcação dos olhos. A sala de casa se esvaziava com as novas urgências.

Não é o que se vê hoje. Reina a neurose, a obsessão, a fixação ininterrupta das vontades.

Se o celular apaga de repente, não se faz mais nada. Parece que a vida morreu junto. Se a televisão por assinatura fica sem sinal, mata-se o dia inteiro telefonando para a operadora cobrando a visita urgente, como se o destino dependesse de um programa que estará disponível a qualquer hora na internet.

Não toleramos as contrariedades. Não cultivamos a paciência. Não admitimos as falhas. Não acolhemos mais o acaso.

O acaso passou a não existir com o excesso de controle. O que é uma pena, já que ele representa a própria receita de felicidade: não saber o que vai acontecer e nem por isso sofrer.

Ao abraçar o meu velho pai, o meu pai analógico, sempre dou uns tapinhas em suas costas, por precaução. Para conferir se ele continua funcionando perfeitamente.

A agenda de endereços do meu pai é um álbum de figurinhas.

Só que, em vez de grudar jogadores de futebol nas páginas como eu fazia com o Campeonato Brasileiro, ele cola cartões de visita de seus encontros. As páginas na espiral ficam grossas e vagarosas. Ele monta o seu time adulto de amigos, a sua escalação de telefonemas e urgências.

Foi das estampas paternas que veio a minha adoração por cartões de visita, um hábito quase em desuso pela facilidade digital de anotar o telefone e as referências no celular.

Eu preservo o rito de guardar a pequena amostra biográfica de algum conhecido quando a recebo. Há um verdadeiro museu nas minhas gavetas, com personalidades já falecidas e outras que trocaram de endereço e ofício.

Como os empregos são cada vez mais temporários, não há mais a obrigatoriedade de imprimir as boas--vindas para os egressos das promoções.

Para os que mantêm a tradição, o cartão revela como o profissional se vê e onde trabalha.

Se é muito colorido e com letras grandes, é de serviço mais popular, como entregador de restaurantes, chaveiro, chapeação, lavanderia, farmácia. Lembra ímãs de geladeira.

Se é branco e com letras pequenas, costuma ser de bancos e entidades financeiras. Reproduzem as fontes mínimas dos contratos de empréstimo.

Se tem os dois lados ocupados, grandes chances de se tratar de publicitários, jornalistas ou relações públicas.

Quanto mais despojado, maior o cargo. Quanto mais poluído, menor a influência.

Na época em que trabalhava como *office boy* de empresas, na adolescência, o meu sonho se resumia em ter um escritório com o meu nome na porta e uma caixinha de cartões de visita. Nunca aconteceu porque virei poeta. Mas sempre imaginei a cena em que receberia clientes e, na saída, selaria o negócio com um aperto de mão e o meu cartãozinho. Eu treinava a frase de efeito:

— Me telefone quando precisar, esse é o meu ramal direto.

Possuir um ramal direto significava sala própria, a realeza do mundo corporativo de antigamente, acesso exclusivo, sem a necessidade de passar pelo filtro da secretária.

Eu escolheria com esmero a textura do papel, a cor e a tipografia, com o igual rigor de um alfaiate e seus tecidos. Depois alisaria a superfície para me envaidecer do nome bem-feito e entregaria os primeiros exemplares para a família.

Nunca pude dar meu cartão de visita para o meu pai completar a sua coleção. Mas ainda há uma esperança a ser vivida. Apesar de fora do tempo e completamente atrasado.

Durante a minha infância, a mãe sempre me encaminhava a um novo eletroencefalograma para ver se algum laudo dizia que eu era sadio. E todos só confirmavam que eu era retardado.

Devo ter feito quatro exames, em meses diferentes, durante aquele frio ano de 1979. Tanto que ia para a aula com massinha na cabeça, herança dos eletrodos colados no couro cabeludo para medir a atividade elétrica do cérebro.

E ela recusava o diagnóstico. Não existe mulher mais teimosa.

É óbvio que eu desconhecia o veredito. Eu jurava que realizava a bateria incansável de exames porque os médicos não localizavam o que eu tinha de errado.

Os médicos detectaram o problema desde a primeira consulta. Ela é que não acreditava, não se dava por vencida e se empenhava em alcançar uma segunda opinião. Já estava na quarta opinião técnica e não mudava a resposta. Qualquer um mais racional e cético ia se conformar com o quadro, me encher de remédios e me colocar num atendimento especial, e eu não estaria aqui escrevendo para você.

Mas mãe é mãe, uma exceção à regra.

Mãe não pensa com a cabeça, e sim com o coração

Ela achava que eu estava apenas me retardando para brilhar depois, por preguiça ou transgressão.

Como não obteve o apoio da ciência, partiu para a missão de coletar provas práticas de minha saúde intelectual.

O que a levou a fazer a investigação foi o drástico atraso na escola (deixava provas em branco e errava a maior parte das palavras nos ditados). Portanto, ela tirou férias do trabalho e me ensinou a ler e escrever em casa a partir de jogos e brincadeiras. Em dois meses, voltei para a escola escrevendo e lendo melhor que os meus colegas.

Nenhuma professora mais questionou o meu desempenho. Nem solicitou ajuda médica. Fiquei livre das suspeitas.

Guardo a certeza de que a mãe nunca entregou os laudos para a escola. Não sei como desconversou com a diretora, já que empaquei o andamento do conteúdo da turma na primeira série.

O mais louco é que fui considerado retardado e talvez realmente seja, apenas eu e ela fingimos bem durante todo esse tempo. Nunca houve um resultado provando o contrário.

Não sei se a mãe gosta mais do presente ou do papel de presente. Nunca sei se a mãe fica feliz com o que ofereço para ela. Porque ela se importa essencialmente com a embalagem. Ela só elogia a embalagem.

— Que papel bonito, vou guardar!

Em vez de provar ou experimentar o regalo, ela prioriza tirar o durex ou a etiqueta sem rasgar a textura. É uma cirurgia da qual somente ela tem o domínio — sua unha é um bisturi.

Depois de salvar o estimado objeto de possíveis marcas e cicatrizes, dobra o papel como se fosse um tecido e o guarda delicadamente na gaveta onde estão todos os pacotes das últimas festas e celebrações.

Jamais a vi rasgar, passionalmente, de cima a baixo, qualquer embrulho. Talvez nunca tenha sido uma criança com ânsias de descobrir o conteúdo da alegria. Até a sua curiosidade é gentil e educada.

O papel tem status de pano de prato. Não é descartável para ela. Não joga fora. Seu comentário costuma ser invariável:

— Posso aproveitar para uma lembrança.

Mesmo quando ela é a protagonista de uma surpresa ou a destinatária exclusiva de um carinho, já está pensando generosamente em agradar alguém. Ao receber um mimo, preocupa-se com o que pode dar.

Talvez seja assim porque teve três irmãos, quatro filhos, colocando-se sempre em segundo plano, determinada a prover e planejar o futuro.

É mãe em tempo integral: mãe do tempo e do lugar, da família e dos amigos. Cuida para não ferir a expectativa de ninguém. Tudo a agrada, mostra-se contente desde antes, pelo fato de ser lembrada. Mostra-se contente com o invólucro colorido, o que vem em seguida é um acréscimo do amor.

O parquê da casa da infância e da adolescência era todo arranhado.

Havia uma expressão mágica que destruía o piso: "vamos arredar os móveis?".

Abríamos uma clareira no meio da sala para dançar. Os pais saíam para jantar e já ligávamos música alta e improvisávamos uma reunião dançante, que se resumia a coreografias com roupas de adultos e passos combinados entre os quatro irmãos. Formávamos uma escadinha pulante e indisposta a dormir cedo. Nossa encenação preferida costumava ser *Os Saltimbancos*, de Chico Buarque. Pegávamos vassoura, rodo e espanador como microfones. De mãos dadas, seguíamos uma roda no sentido horário e anti-horário. Alguns caíam no caminho. Acelerávamos a velocidade da ciranda para redobrar as dificuldades. Ninguém chorava: as quedas só aumentavam o volume das risadas.

Au, au, au. Inha in nhó
Miau, miau, miau. Cocorocó
O animal é tão bacana
Mas também não é nenhum banana
Au, au, au. Inha in nhó
Miau, miau, miau. Cocorocó
Quando a porca torce o rabo
Pode ser o diabo
E, ora, vejam só
Au, au, au. Cocorocó

A decoração era uma durante o dia, e outra muito diferente na ausência paterna e materna. Sofá terminava arrastado até o corredor. Levantávamos a mesa para outro cômodo. Empurrávamos as cadeiras dali. Queríamos espaço livre para brincar e nos revezar nas vozes. Nada poderia impedir a nossa algazarra. Parecíamos malucos, mas estávamos felizes, num raro momento em que a televisão tinha sua preferência vencida pelo toca-discos.

Havia rigor em nossos jogos cantantes. Nunca poderíamos ser descobertos, para evitar castigos. Em nós, reinava uma cumplicidade da dissimulação.

Controlávamos o horário da volta deles, a partir do rangido do portão (nossa campainha preventiva, antes da chave na porta), para deixar tudo arrumado e correr para debaixo dos lençóis e das cobertas, fingindo que dormíamos havia mais tempo.

Eu me lembrei dessa encantada fase quando a casa da família foi posta à venda e ficou absolutamente vazia. Deu para perceber claramente o mapa dos nossos movimentos no chão, das estantes para o centro da luminária. Ranhuras fundas indicavam onde repousava cada mobiliário, como fitas brancas demarcando uma cena de crime. Nunca tinha parado para ver a nossa herança sem as pernas e os pés das poltronas.

O que me leva a concluir que a alegria também deixa cicatrizes.

Era fundamental, há duas décadas, ter velas e lanterna. Todo mundo conhecia o paradeiro de emergência na hora que faltava luz. E faltava luz com muita regularidade.

Não contávamos com as luzinhas dos celulares e recursos tecnológicos. Tratava-se de artigos necessários para manter a segurança. Quase como uma malinha de primeiros socorros.

Aprendíamos a apalpar os móveis. Treinávamos os movimentos no escuro. Dançávamos de olhos fechados pelos corredores. Driblávamos as quinas das mesas e as pernas das cadeiras.

O mais encantador da queda de energia era o silêncio.

Somos tão olhos que não reparamos na barulheira que nos cerca e que não nos permite fixar quem está próximo.

Os aparelhos desapareciam e nos reencontrávamos com a quietude. Começávamos uma busca ao outro pela respiração. Significava uma trégua de grande intimidade com os pais. Sem a visão, queríamos estar perto deles, não desejávamos fugir para outros lugares e tarefas.

— Onde está? Fique aí que vou te resgatar.

Sentávamos no sofá, abraçados, amontoados, com as velas bruxuleando ao redor. Precisávamos nos ocupar com histórias. Não sofríamos com a concorrência de passatempos e distrações.

Predominava uma imprevisível exclusividade. Realmente prestávamos atenção no pai e na mãe, nas nossas lembranças de pequenos, nos causos e nas brigas engraçadas, nos nossos pequenos poderes. A mãe recordava que a Carla já sabia ler com três anos, que o Miguel acreditava que poderia voar como o Super-Homem segurando-se nos varais, que o Rodrigo devorava a enciclopédia como se fosse uma história com início, meio e fim, e que eu, um dia, me escondi numa cova aberta de um cemitério em Caxias e me fingi de morto para dar susto nos outros como se estivesse ressuscitando.

E nos sentíamos especiais, amados, admirados, guardados. Eu me orgulhava dos meus irmãos: havia esquecido como eles eram legais.

Gritávamos de felicidade:

— Contem mais!

Ríamos alto, batíamos palmas enquanto os pais nos devolviam as nossas vidas, testemunhas privilegiadas de nosso crescimento.

Na hora em que voltava a luz, estranhamente, saíamos do transe de ternura e cada um retornava para a sua solidão.

Mas ainda guardo a certeza de que o apagão nos ressarcia a luz própria. Iluminávamo-nos pelas nossas vozes. E esperávamos, ansiosamente, pelo próximo escuro para nos dar as mãos de novo.

Redação não era redação, mas composição. Eu me sentia um artista, um músico, autor de hinos e melodias.

O nome era mais bonito e trazia um maior mistério. As musas podiam sussurrar em meus ouvidos. Anotava com a cabeça para cima, esperando o toque da inspiração pelos ouvidos.

— Já fez a sua composição?

A professora me advertia, enxergando-me gravemente distraído, observando o teto.

Redação é um termo técnico, frio, burocrático. Composição evoca um envolvimento emocional, um sei lá de alma.

Por isso escrevia em papel almaço. Alma gritando desde sempre.

Por mais que os temas fossem genéricos — desperdício de comida, mendigos na sinaleira, distribuição de renda —, eu não tinha como não ser pessoal.

Se redações fossem adotadas na minha infância, não terminaria poeta. A composição emulou a minha vocação.

Acreditava que papel almaço correspondia a papel "amasso". Eu me confundia na pronúncia. Demorei a ver a palavra escrita na etiqueta da tabacaria. Fui analfabeto quanto ao seu significado até a terceira série.

Não dissertávamos em ofícios brancos, de letra livre. Todos escreviam emendando, com treino à parte no caderno de caligrafia.

Não existia a possibilidade de rascunho. As folhas de almaço vinham em duplas, sem a comodidade da espiral para arrancar uma delas e recomeçar o trabalho.

Tudo consistia em lápis e borracha, depois cobrir o grafite com a caneta e apagar o fundo.

Seguia ordens. Qualquer desvio correspondia à desclassificação do texto.

Não se podia usar a caligrafia fora das linhas. Tinha que respeitar as cercas de cima e de baixo. Já sofria ao imaginar a professora com a régua sobre a minha frase, para ver se deixava um pouco de espaço arquitetônico entre os andares.

Havia o ditame de contar o texto por linhas: 25 linhas. Ultrapassar a cota ou não contentar o limite me levava a um zero.

Às vezes, na falta de ideias, espichava desastrosamente a grafia. No excesso de argumentos, eu a diminuía absurdamente, como um formigueiro. No efeito sanfona da criatividade, emagrecia e engordava o alfabeto.

Desde então, esse molde se incorporou em mim. Não duvido que todo capítulo deste livro tenha o mesmo tamanho das minhas composições infantis.

O ouvido não capta tudo na infância.

Quando tinha seis anos, minha mãe disse que o Rodrigo precisava dos meus conselhos. Vivia muito briguento. Excessivamente irritado. Sem paciência para fazer as tarefas e batendo a porta do quarto assim que chegava da escola.

Eu entendi quase a ladainha inteira. Quase. Peguei de raspão "meus conselhos" (desconhecia a palavra). Entendi "meus selos", o meu passatempo predileto.

Com custo e sacrifício, separei parte da minha coleção para oferecer ao mano. Nem questionei a injustiça. Comprava os selos na banca da rodoviária com o que economizava da merenda. Não gastava nada no recreio para acumular moedas e adquirir as cartelas no sábado de tarde, acompanhando o pai em seu passeio pelo centro de Porto Alegre.

Deveria pagar um resgate para ter o Igo (seu apelido) de volta ao convívio. Para ele, busquei escolher as peças repetidas, as menos avaliadas em guias de colecionadores, e as mais novas, as da América do Sul, tentando reduzir os danos. As horas da madrugada doíam com a peneira na mesinha da sala. Às vezes fingia par ou ímpar entre duas figurinhas para decidir qual ia.

Protelei ao máximo a tarefa. A mãe já me cobrava:

— Falou com o Rodrigo? Descobriu o que era?

Precisei tomar coragem, como quando engolia xarope ruim, com gosto de peixe, em momentos de febre. O irmão estava mal. Não podia só pensar em mim. Depois conseguiria recuperar o material.

Entreguei para o mano vinte envelopes.

— Aqui está parte da minha coleção de selos para você ficar feliz.

Ele me olhou assustado, abriu os papeizinhos e perguntou o que significava aquilo.

— Você é mais importante do que o que eu mais gosto na vida.

E me abraçou chorando pelo presente. Nunca tinha visto meu irmão mais velho chorar.

A mãe me cumprimentou dois dias depois.

— Não sei qual conselho você passou para o Rodrigo, mas funcionou, é outra pessoa.

Quando criança, errar é poesia. Quando adulto, errar é malandragem.

Não deveria ter crescido. Porque cresci sem mudar. As pessoas é que mudaram seu olhar sobre meu temperamento. Não sou perdoado por falhas, lapsos, gafes.

Antes era engraçado, hoje sou irresponsável. Antes era distraído, hoje sou preguiçoso. Antes era charmoso, hoje sou idiota.

Você não tem ideia do esforço que faço todo dia para ser adulto.

Tomo café por obrigação, e não Nescau, que adoro, para não me entregar.

Nos anos oitenta, recebia a tarefa de comprar no armazém as coisas que faltavam para o jantar.

Não anotava o que minha mãe queria. Buscava memorizar, e me atrapalhava.

Não foram poucas as vezes que ela solicitava pêssego e eu pegava abacaxi, ela esperava mostarda e eu trazia ketchup, ela aguardava salsinha e eu surgia com alface.

As palavras formam vizinhanças estranhas em minha cabeça.

Num finzinho de tarde, parei novamente na frente do balcão com a missão de levar pão e doces, já que tínhamos visita.

A balconista me encarava enquanto eu resgatava, dos longínquos sons da memória, a encomenda materna. A fila atrás impacientava a atendente, suas sobrancelhas subiam à touca.

Lembrei de cara do pão de meio quilo. Mas e o doce? Qual era o doce? Recordava que havia merengue na receita, mas não vinha o nome. Nem existia uma vitrine para apontar:

— É este!

Na ânsia de resolver, falei alto:

— Me dá um bocejo?

A moça, intrigada, rebateu a esquisitice:

— O quê?

— Me dá trezentos gramas de bocejo? — especifiquei.

— Bocejo, meu filho? — questionou ela.

As pessoas na minha cola começaram a rir. Mas rir ajudando, rir acolhendo, rir me amparando.

— Não seria sonho?

— Não, não, não.

— Não seria papo-de-anjo?

— Não, não, não.

Dez minutos depois, Zé, o dono do lugar, gritou do fundo dos corredores:

— Não seria suspiro? A Dona Maria adora suspiro.

— Sim, sim, sim! Suspiro!

Fiquei conhecido na infância como o piá que queria comprar bocejo no armazém.

Pedi bocejo, saí suspirando.

Naquele tempo, enganar-se não era crime. Era licença poética.

Havia o telefone fixo em casa, com a extensão no quarto dos pais. Não existia celular nem computador. Era o único meio de contato com os amigos. Fazia-se fila e escala de horários para usá-lo.

Evidentemente, ficávamos furiosos com a irmã mais velha, Carla, que não respeitava os acordos e se alongava em bem-me-quer, mal-me-quer com o namoradinho da escola. Não desligava de imediato. Ameaçava se despedir e retomava a conversa do nada, depois do tchau, com alguma fofoca ou novidade.

O telefone tornava-se pivô da tensão familiar, já que os negócios e trabalhos paternos e maternos tinham a preferência sobre as nossas amenidades adolescentes.

Não foi uma vez que escutei o sermão: "Ligação é só para urgências e para dar recado rápido."

As enrolações geravam a maior parte das discussões à mesa. Quando a irmã se declarava infinitamente nos seus interurbanos, enrolando o fio nos dedos como se fossem os seus próprios cachos, os adultos de casa discavam o aparelho do cômodo de cima, constrangendo e forçando imediatamente a liberação. Ela reagia com gritos: "Tá ocupado!"

Tentar fazer uma ligação enquanto alguém falava demais era uma forma de intimação: mais contundente que pedidos educados para desocupar o número.

Todos os filhos foram vítimas da levantada de gancho dos pais, nossos censores domésticos. Silenciosamente, com mãos de pluma, seguravam o fone para ouvir o que estávamos aprontando. Os ruídos atrapalhavam a identificação deles. Precisávamos de muita atenção ou a sorte de uma tosse ou um pigarro.

Aquilo nos irritava profundamente: sentíamo-nos pressionados, fiscalizados, julgados. É óbvio que os dois negavam até a morte. Corríamos para fazer o flagrante e eles já se encontravam disfarçados com novas ocupações. Espumávamos de ódio da dissimulação, jamais confessaram os seus crimes de espionagem.

Estranhamente (a saudade é estranha mesmo), quando converso ao telefone, eu torço para que os meus pais estejam ainda escutando no outro lado da linha, sabendo de mim, cuidando de mim, interessados em mim, preocupados comigo, e não me vejo sozinho para decidir a minha vida.

Minha infância foi de cupons.

A mãe recortava cupons de descontos de jornais e revistas. A linha pontilhada formava a nossa retaguarda financeira. Tínhamos uma gaveta na cozinha onde guardávamos a coleção de descontos e possíveis prêmios.

Juntando dez cupons, ganharíamos um jogo de panelas. Levando um cupom ao supermercado, teríamos metade do preço de um determinado produto. A cada retirada de um prêmio, festejávamos por baratear a rotina.

Sentíamo-nos em vantagem em relação ao restante do bairro. Os troféus se espalhavam pelas estantes e prateleiras da sala e da cozinha.

É evidente que nada vinha de graça, dependia da disciplina de separar os papeizinhos, de se lembrar de cumprir as regras e de respeitar os prazos de vencimento.

O que a mãe mais gostava era quando uma visita elogiava um suvenir garantido pelos recortes.

— Que bonito!

— Pois é, trata-se de um presente.

Não completava a história dizendo de onde tinha vindo o presente, o diálogo se reduzia a um enigma. Nas entrelinhas, acabava como um regalo do destino, dos anjos, de Deus.

Os saldos movimentavam as nossas manhãs. No café, entre as manchetes do jornal, alguém sempre gritava: "Olhem aqui essa barbada!" E recebia, no ato, a reverência de todos.

Aliás, a mãe mantinha paixão por cupons, e o pai, por classificados. Formavam o casal das ofertas imperdíveis. Ambos trocavam figurinhas, exclamações, hipóteses e planos de investimentos. Perdiam horas cogitando como seria a vida com uma aquisição que jamais seria concretizada.

O pai revirava os classificados mesmo sem capital para comprar alguma coisa. Analisava a localização e o tamanho de apartamentos, vistoriava os modelos dos carros e os seus respectivos anos, caçava terrenos que poderiam duplicar seu valor dentro de dois anos. Não apenas lia, assinalava os negócios com caneta vermelha e até telefonava para os proprietários, disposto a obter mais informações.

Ninguém em casa enriqueceu. Mas, naquela época, divertíamo-nos muito com a esperança.

A ambição apaga as pequenas delícias e você não se emociona nem mais com uma caixa de bombons. É porque já está completamente indiferente à vida.

Não se surpreende mais com o chocolate. Não tem doçura dentro de si para entender outras doçuras.

Na infância, ganhar uma caixinha de bombons, exclusivamente para mim, era o ideal de Páscoa, o meu sonho de Última Ceia, quadro da nossa cozinha.

Com a disputa constante de três irmãos pela sobremesa, o presente representava uma reserva de guerra de um mês. Eu me sentia milionário. Não cabia em mim de felicidade. Podia ser capaz de qualquer coisa. Podia vir prova de matemática na escola, que não estragaria os meus dias.

Planejava como daria conta da multidão de doces em minhas mãos. Comia, primeiro, os que eu mais gostava. Vinha sempre três de cada tipo de bombom.

Os dias inaugurais acabavam sendo os mais eufóricos. Havia uma sedução no momento de abrir a embalagem. Um *striptease* lento e inesquecível. Sentava na cama quando me encontrava sozinho no quarto e desenrascava as hélices dos dois lados da embalagem simultaneamente. Tirava o papel alumínio com a unha — pela ânsia, a unha ficava com casquinha de chocolate — e olhava com veneração o bombom antes da mordida. Abocanhava o meio para comer o recheio antes e depois me deslumbrar com a casquinha.

Andava de bom humor porque havia a promessa sortida na gaveta do criado-mudo. Não desfrutava de igual sensação de posse, poucas vezes me vi dono de algo, talvez unicamente com a toalha bordada da educação física e com o material escolar no qual constavam o meu nome e sobrenome presos numa tirinha de durex.

Bancava ainda o generoso no fim da caixinha. Como restavam os bombons de passa, de coco e amargos, que eu detestava, oferecia para os pais e irmãos.

— Quer um?

Nunca distribuía no início, mas sempre no fim, na rabeira. Recebia assim elogios infinitos da família, que não cogitava a minha trapaça.

Não menospreze os objetos do outro. Nem julgue pela aparência. Podem ser de estimação. O valor emocional nunca está explícito na etiqueta. Assim um tênis velho talvez seja o mais confortável. Um chinelo indigente talvez represente a liberdade do lar.

Não são objetos de méritos ostensivos, como um relógio antigo ou um colar de prata. Mas objetos quebrados, machucados, sofridos, enferrujados.

Meu avô Leônida, por exemplo, entrava em pânico quando não achava a sua tesourinha de aparar bigode, da época de sua adolescência na Itália. Ainda que tivesse uma crise nacional, greve geral, alta do dólar, ele não seguia a sua vida se não localizasse o seu apetrecho da barba. Não importava se o mundo estava em armas ou desalmado, se as trombetas de Jericó já haviam sido tocadas, só desejava desvendar o paradeiro de seu talismã. Suspendia a sua noção de realidade pela fixação da ideia. Não conseguia conversar nem se relacionar antes de resolver o enigma.

Na raiva, falava em esperanto. Misturava as línguas e as pátrias, e ninguém decifrava o que dizia.

— Dove é la tesourinha de podar bicote?

Às vezes, ele nem queria a tesourinha para usar na hora, era somente para se certificar de que permanecia no mesmo lugar onde a tinha deixado.

Sua maior indignação foi quando desapareceu o seu pulôver amarelo, de gola V, que repousava eternamente na cadeira de espaldar. Tamanho o apego, nem corria o risco de colocá-lo para lavar. Vestia a malha para cortar lenha de manhã, espécie de uniforme da neblina. Qualquer um o enxergava de longe rachando as achas de madeira com a machadinha no quintal.

Depois de procurar incansavelmente nas gavetas e nos armários, de esculhambar a casa como um assaltante apressado, de revirar o quarto sem compaixão, guardou o orgulho no bolso e teve que pedir ajuda em português soletrado. Chegou perto da nona, que encerava o piso, e perguntou se ela não tinha pegado a peça por engano (mesmo ciente de que não há engano em casamento de mais de vinte anos). Ela nem precisou responder.

Leônida enxergou o pulôver amarelo nos pés de sua esposa. De tão velho, havia sido aposentado à força e lustrava agora o chão.

Sempre fui ingênuo na sedução.

Seduzir nunca era atacar uma mulher na rua com palavras chulas, ou assoviar como um torcedor do desejo, ou segurar os braços enquanto cochichava no ouvido. Ninguém tem a obrigação de gostar de mim.

A intimidade é tímida e transcorre lentamente. A violência que é apressada e quer atalhar com os seus desmandos.

Ser homem é esperar, apenas será homem aquele que deixar a mulher recusá-lo também.

Meu avô me disse o que deveria fazer quando me apaixonasse por uma menina:

— Pisca!

Não precisava falar nada, o flerte consistia em piscar o olho esquerdo.

— Só isso, vô?

— Só. O amor é um cisco nos olhos.

Passei a minha infância piscando. Um semáforo entre o vermelho e o verde sentado na segunda fileira. A professora recomendou aos meus pais, ostensivamente, óculos para mim. As colegas da escola deviam achar que eu tinha um tique nervoso ou que vivia com conjuntivite. Nem me davam bola.

Quando passei a ser a única boca virgem da turma, fui reclamar ao meu avô de sua estratégia infundada.

— Você tem que piscar mesmo, é um gesto cavalheiresco, a mulher que amar você vai entender e virá confirmar a sua jura.

Comecei a me compadecer do meu vô. Coitada da vó, que se envolveu com um pirilampo.

Aos quarenta anos, lembrei-me dessa história adormecida em mim, naquele instante mágico em que, de modo involuntário, como um hábito que emergiu de sua extinção, eu pisquei para uma mulher que acabara de conhecer.

Em vez de cercear com a minha lábia, emudeci diante dela e de sua beleza imponente. E pisquei muito. Não parava de piscar. Sofria uma vergonha absurda. Havia outros presentes na recepção do centro cultural onde eu faria a palestra. Beatriz se aproximou de mim e tirou a limpo o que viu:

— Você está piscando para mim ou foi impressão minha?

Foi com ela que me casei no altar. Meu vô já tinha morrido, o que não me impediu de ouvir a sua estrondosa gargalhada dentro de mim.

A casa da vó e a casa da mãe e a minha casa são iguais por dentro: o reino do crochê.

Mantenho o mesmo hábito de enfeitar ou proteger os móveis com guardanapos de trançados.

Azuis, rosa, verdes, vermelhos, brancos, a cor da linha muda, mas não o uso ostensivo pela família.

É mais do que uma mania de decoração, representa uma mentalidade cuidadora.

Expõe o nosso afã em zelar pela memória dos objetos. Ter algo é, acima de tudo, conservar. Agradece-se uma compra alcançada prolongando a sua duração.

A lã é a gratidão que envolve os pertences, o véu do lar, o embrulho das alegrias cotidianas, o forro essencial na prevenção ao manuseio, a escolta estratégica para nada quebrar ou sair do lugar.

Na mesinha da sala, debaixo dos porta-retratos, coloquei paninhos de crochê.

Jarros de flores têm a base decorada com crochê. Além dos pratinhos, há os modelos de invariáveis círculos concêntricos resguardando a madeira.

O liquidificador é protegido por um aparador de crochê.

O puxa-saco atrás da porta da cozinha é de crochê.

O tampo de vidro do fogão, quando em merecido descanso e brilho, leva a toalhinha de crochê e a chaleira por cima.

O botijão de gás tem a capa de crochê.

A manta da cabeceira do sofá da sala e as almofadas apresentam a resistência do crochê. Tanto que sempre acordo dos cochilos com o rosto avermelhado, impresso em grades.

Em dias felizes, a cama de casal é arrumada com colcha de crochê.

Até a tampa da privada merece o agasalho (fundamental por dois motivos, para inspirar o povo familiar a baixar a tampa ao sair e também para aquecer o traseiro na troca de roupa).

Poderia dizer que a residência inteira está vestida para o inverno.

É emblemático que o primeiro presente que recebi na vida tenha sido um sapatinho de crochê, dado pela minha tia materna e posto depois na porta do meu quarto com um prego para celebrar o meu nascimento.

Meu vício pela saudade já começou no berço, instruído a bordar os espaços da intimidade e costurar os tempos entre diferentes gerações, educado a nunca deixar a poeira e o abandono cobrirem as recordações.

Eu saí do interior do estado, porém o interior do estado jamais saiu de mim.

Guardamos a sensação de que não nos despedimos direito daqueles que amamos e que se foram. É como se não tivéssemos dito tudo ou como se precisássemos nos preparar melhor para o desenlace.

O abraço deveria ter sido mais apertado; as frases de efeito, mais contundentes; o olhar, mais banhado de lágrimas.

A impressão é que faltou um maior tempo, uma maior disposição; mas é natural se atrapalhar mesmo. Não estamos diante de um espelho, e sim de um rosto de verdade. Existe carência e incompetência em ambos os lados, no lado que fica morrendo de saudade e no lado que vai morrendo de medo do desconhecido.

Amar é enfrentar a insuficiência no leito do hospital. Significa a pior provação de nossa frágil condição: estabelecer um diálogo com nexo quando nada tem sentido.

A esperança nos faz engasgar. Como achar normal não mais enxergar aquela pessoa? Nenhum exercício mental é capaz de conter o tumulto do coração. O coração sai da boca, sai correndo do quarto para não sofrer, e o corpo permanece ali, na aparência, embasbacado, sentado na cadeira, não entendendo nada, não respeitando os limites e a mortalidade injusta de cada um.

Estamos tão assustados com a morte iminente que todo murmúrio parece ser insignificante. É uma impotência emocional difícil de superar.

Como resumir uma amizade em brevíssimos instantes? Como elaborar um epíteto?

E mais dói o fim quando, em vez de ampararmos quem está sofrendo, o doente é que nos consola dizendo para não nos entristecermos. Nesse instante é que desabamos: com a surpreendente generosidade do nosso ente, mais preocupado conosco do que com ele.

Eu perdi a minha avó Elisa quando eu tinha dez anos. Muito cedo para uma criança formular o desaparecimento físico. Nenhuma história dos pais me satisfazia. Eu só consegui entregar um desenho para ela. E ela me perguntou quem era ela na ilustração: eu apontei para a árvore, para a casa, para os pássaros, para o chão, para as nuvens, para o sol, menos para ela, desenhada ao lado da minha mãe. Porque ela era tudo para mim. Estaria sempre dentro de tudo para mim.

Minha avó se refugiava, de tardezinha, antes do crepúsculo, na máquina de costura preta no quartinho dos fundos de sua casa.

Era um dos poucos períodos em que ela ficava absolutamente calada.

Quando cozinhava, ela conversava. Quando varria, cantava. Quando costurava, emudecia completamente.

Ela fazia os seus próprios vestidos e os vestidos floridos das filhas. Não se gastava com roupa naquela época, só em casos extremos como velórios. Só na morte de alguém se ia à loja, numa espécie de deferência a quem partiu.

Todos na cidade eram alfaiates de seus trajes. Alfaiates de seus corpos. Conheciam as medidas e os respectivos pesos de cada integrante da família.

Aquele barulho me tranquilizava, acredito que seja o som mais terno da minha vida. Nem a chuva nas calhas se mostrava tão melódica. Nada se igualava à sinfonia da agulha cerzindo, em linha reta. Parando, voltando, a roldana sendo girada para prensar o pano.

Nona Elisa de óculos, a conferir o caminho preciso do esquadro de seus dedos. Virava o tecido, desvirava. Ajeitava, retomava. Parecia que não ia dar certo a operação, tamanhas as idas e vindas, mas ninguém notava depois onde estava a linha.

Eu gostava de me sentar embaixo da mesinha. No espaço apertado entre seus chinelos. Como um cachorro. Um menino-cachorro. Às vezes, ela fazia carinho em meus cabelos e unia as nossas imaginações por um breve momento.

O vestido descia da mesa à medida que o trabalho evoluía. Fechava as frestas de luz como uma cabana. Em seguida, ele subia de novo, trazendo a claridade.

Brincava assim de noite e dia, de claro e escuro. Como se a máquina de costura também fosse uma máquina do tempo.

Permanecia eternidades naquele esconderijo, sem me mexer, atento aos rompantes sonoros, aos trovões dos ganchos de metal.

A vó vestia a minha solidão. Repartia com ela o que há de mais precioso numa amizade: o silêncio. A doçura do silêncio. Estar junto, quieto, sem a necessidade das palavras para amar.

Enquanto escrevia aqui sobre a minha vó, bateu-me uma aflição: por onde anda o cobertor preto e amarelo que era dela?

Pode ser loucura parar o livro por uma aflição tão ridícula, tão gratuita, tão insignificante. Mas aquele cobertor significa ainda a minha única possibilidade de abraçar a minha vó já falecida. A minha avó Elisa Margarida, que subiu aos céus cedo demais.

A lã guarda o cheiro da residência de madeira. Mantém o calor do fogão a lenha.

Herdei a peça da minha mãe quando fui morar sozinho. Na verdade, eu furtei, porque ela não teria me dado antes de perguntar para os outros irmãos se eles deixariam, e eu não quis arriscar.

Numa época de edredons impessoais e modernos, num tempo em que não há espaço nos apartamentos, de uso escandaloso de ar-condicionado, poucos guardam o autêntico cobertor do sofá.

Aquele cobertor que não é de cama de casal, mas pequeno, a ser carregado nas costas como uma capa. É um complemento ao sono, aos cochilos e sestas, à leitura sentado, para saudar o friozinho de uma janela aberta, para trazer saudade do café e do chimarrão.

Corresponde a um poncho deitado. Um cobertor pessoal, não familiar. Um cobertor individual, cabe uma só pessoa ali dentro, em sua extensão de casaco. Um cobertor amigo.

E o mais enternecedor, o que o diferia de todo enxoval, é que ele tinha franjas. Franjas amarelas.

Cobertor velho de vó, para receber o selo de autenticidade, requer franjas em suas bordas. Franjas que piniquem o rosto, que provoquem cócegas na nuca, humanizando o tecido. As franjas eram os cabelos loiros do cobertor — penteava-os longamente com os meus dedos, desfazendo os nós e prometendo tranças.

O cobertor honrava as medidas da vó, exatamente do tamanho do corpo dela, um sudário que restou de seu carinho.

Enquanto a minha mãe dizia para não esquecer o casaco ao sair para a rua, a vó pedia para não esquecer o cobertor quando passeasse pela casa. A mãe se preocupava com o lado de fora, a vó se atinava para o lado de dentro.

Uma das grandes euforias do meu pai e da minha mãe era colocar os quatro filhos no capô da Belina.

Eu me recordo da sensação feliz de sentar no aço quente do motor e me esticar até o para-brisa, com os pés estirados. Cabia a turma inteira na foto.

Prosperava um sentido de liberdade inigualável naquele rápido recreio da família, com a brisa agigantando os cabelos.

Era o momento de admirar a paisagem da Serra durante a trégua da viagem até a casa dos meus avós, em Guaporé. Parávamos meia hora em algum belvedere, diante da calmaria das montanhas, para lanchar cuca com as mãos e apontar o voo dos pássaros.

A idílica cena deve soar absurda em nossa época. Hoje os capôs não servem como sofá para as crianças. Os carros são frágeis, com outra textura, quase de plástico. Se alguém senta no capô, amassa tudo. Além de o desenho fabril ter seguido a linha abaulada. Todos os veículos atualmente têm complexo de kombi. A frente é curva, mais para um escorregador do que para um jardim.

Os carros na minha infância ostentavam um canteiro quadrado que permitia a interação e o piquenique. No Galaxy, dava para jogar amarelinha. No Opala, eu girava pião sem arranhar. Na Veraneio, podia montar um palco e dançar em cima dela. O Corcel oferecia estrutura para distribuir o baralho de pôquer e jogar às ganhas.

E ainda havia o Chevette, o Dodge e o Maverick, com uma infinita área de lazer. Só o fusca se diferenciava no contexto da reunião da parentela, costumava ser automóvel de solteiro, sem filhos.

Mas os carros grandes também contribuíam para os desfiles. Assisti à passagem da Miss Rio Grande do Sul pela avenida Osvaldo Aranha. Ela acenava sentada no capô, poderosa, com os reflexos do sol na lataria e na sua coroa. Na Semana Farroupilha, as prendas também ocupavam o destaque na carroceria, com o vestido espalhado em suas várias dobras de renda, tal vitória-régia.

O capô já foi uma mesa familiar, o nosso mirante, o nosso ponto favorito de encontro, onde enxergávamos os problemas e desavenças de cima, muito menores do que realmente eram.

Os bebês de antigamente possuíam mais força nas mãos.

Meu pai e minha mãe, quando crianças de colo, seguravam o mundo com mais firmeza.

Minha percepção não é uma gratuidade. Vem de fatos.

Na época deles, havia a mamadeira de vidro. A Curity era a fabricante mais conhecida.

Uma verdadeira garrafa, não esses leves e descartáveis tubos de plástico. Garrafa grossa, pesada, inquebrantável. Se caía no chão, o piso que se partia.

Durava os cinco primeiros anos de uma vida. A família não se preocupava em repor o material. Lavava-se o recipiente e se reutilizava infinitamente. Fazia parte de uma consciência ecológica antes mesmo da emergente preocupação ambiental.

A argola colorida diferenciava o uso entre os irmãos. Como uma escova de dente pessoal e intransferível.

A mamadeira ocupava o galardão do enxoval, mimo reservado aos padrinhos.

O leite apresentava mais gosto de roça. Mais gosto de vaca, por assim dizer (da mesma forma, o refrigerante soa mais gostoso na garrafa de vidro).

Existia o hábito de criar responsabilidade desde cedo, uma independência forçada, uma noção de carregar os próprios pertences logo ao pisar no chão.

Um recém-nascido já posava com cara de adulto. Uma criança já vestia terno ou vestido bordado. Estranho mundo sem infância como a conhecemos.

Vi foto preto e branco de minha mãe pequena empunhando a sua mamadeira. Não contive a gargalhada diante da precocidade.

Ela tinha de pegá-la com ambas as mãos e ainda equilibrá-la com o rosto. Nem chorava, destinava o esforço inteiro do corpo para o malabarismo. Uma distração emocional e perdia o controle.

No tempo dos meus pais, os objetos prezavam pela durabilidade. Imperava uma valorização da resistência, um elogio à sobrevivência.

Assim como os capôs dos carros eram de aço e as máquinas de lavar exibiam tanques pesados, compactos, impossíveis de ser transportadas por uma só pessoa.

Não era admitido se entregar à tristeza. Confissões e declarações de amor se assemelhavam a atestados de fraqueza a um povo que experimentou a carestia generalizada da Segunda Guerra Mundial.

O que explica e muito a dureza do comportamento das gerações mais velhas. Não é que sejam mais frias, porém mais calejadas. Não contavam com ninguém por perto para pedir ajuda. Acostumaram-se a não reclamar. Nem na hora de mamar desfrutavam de privilégios.

A bicicleta é a primeira vez que o pai ou a mãe deixa o filho seguir sozinho.

Não é quando ele caminha, ainda bebê, tropeçando e se esgueirando nas paredes, porque permanecemos por perto, com as mãos cuidadosas e temerárias fazendo balizas. Não é quando começa a dirigir, porque já estamos acostumados com a sua independência.

É a bicicleta que representa o desmame social da criança.

Quando ela pode pedalar com as suas próprias pernas para longe e sentir a definição de seus caminhos, para a direita ou para a esquerda, sem a nossa voz indicando a rota.

Quando os pais são obrigados a retirar a rede da janela dos olhos, desligar o GPS do sangue e confiar que nada de ruim acontecerá.

Talvez seja o maior dilema da criação: posicionar-se com os braços na garupa, oferecendo impulso para o filho se equilibrar na largada. Gritam-se palavras de incentivo até que se experimenta o difícil papel de soltar o banquinho na corrida troteada e sumir de repente, para permitir que o nosso rebento trilhe a calçada em zigue-zague, com a força constante dos pés, sem que ele perceba que não há mais ninguém segurando atrás.

A mirada desesperada do filho nos procurando em suas costas e tentando manter o controle do volante é de rasgar o coração em pedaços. Muitos pais quase se arrependem do ato e dão piques de inútil e chorosa perseguição.

É um adeus à inocência do colo, à superproteção, às colheradas de avião na boca.

Você baterá palmas por reflexo, comemorando a conquista, mas a vontade é somente de acenar com saudade.

É um instante mágico do desapego. Mesmo que ele caia e se machuque, assumimos as consequências da liberdade. Não há como voltar atrás no aprendizado. As quedas formarão a resistência para ele jamais desistir da aventura e do vento nos cabelos.

Parece que não é nada, porém a bicicleta é uma segunda e necessária gestação: o nosso pequenino nasceu para o mundo.

Todas as crianças de antigamente eram artesãs.

Eu criava os meus brinquedos. Não tinha videogame, computador, celular. Os jogos custavam caro.

Tudo o que a minha mãe dispensava da cozinha, eu aproveitava: potes de margarina, sacos de papel do mercado, garrafas. Fui a coleta seletiva da família.

Brincava no pátio, nunca em casa. A porta do meu quarto sempre estava aberta: não havia necessidade de bater, pois nunca havia mesmo ninguém.

Meu amigo Zé, fiel ombro até hoje, e eu fazíamos lutas medievais com a tampa do lixo servindo de escudo, e a vassoura, como lança. Passávamos horas entretidos em armaduras imaginárias.

Também gostávamos de fazer pontes para as formigas com os palitos que sobravam dos raros picolés de domingo. Abrimos uma transamazônica do abacateiro até a ameixeira. As formigas nos cumprimentam até hoje pela construção, jamais fomos picados por elas. Nutriam um imenso respeito pelo nosso trabalho.

Com as folhas que meu pai jogava fora de sua máquina de escrever (os poemas que não davam certo), aproveitávamos para montar aviõezinhos. Nossa diversão se valia dos rascunhos. Dobrávamos os papéis com perfeição, criando caças e jatos supersônicos. Quando descobrimos que as dobras inversas nas pontas tornavam os nossos modelos imbatíveis, gritamos aos céus — eles permaneciam planando por quinze segundos.

Subíamos no telhado da residência para realizar os testes de lançamento. Nossa meta de NASA consistia em atingir a janela da Bete, vizinha e colega da escola. Duas vezes, conseguimos entrar pelas suas vidraças com recados amorosos. Nem eu nem ele namorou com ela, mas a esperança pelo seu beijo ocupou boa parte do nosso Ensino Fundamental.

Nos dias de chuva (tempestade não nos assustava), armávamos barquinhos, arremessados pela correnteza do meio-fio. Quem alcançasse o bueiro mais distante ganhava a corrida.

Não servimos no exército, mas merecíamos uma medalha de honra ao mérito por tanta cabeça de papel armada em nossas rondas pelos terrenos baldios do bairro.

Minha infância e a de Zé foram feitas da riqueza das sobras. Nunca sobrava tempo para o tédio.

Toda criança tímida conhece o cheiro dos joelhos da mãe. Tem a mesma fragrância de cangote, só que acentuada. É um cangote sem suor.

Quando pequeno, eu vivia grudado nas pernas maternas, fugindo das pessoas. Ela pedia para eu cumprimentar algum conhecido e eu me escondia, dando uma volta em sua saia. Não queria dizer oi, não pretendia falar o meu nome. Cansava-me a educação. Brincava de porta giratória com a sua cintura, circunvagando, na contracorrente da voz, rodeando para não ser incomodado. Corria da centopeia das formalidades.

O joelho ria para mim, com seu formato de rosto e suas covinhas. Quantas vezes encostei minha bochecha em sua pele macia? Quantas vezes espremi as pálpebras em sua rótula? Quantas vezes tapei os olhos com seus contornos? Quantas vezes roubei o seu calor de pedra?

O joelho da mãe terminava sendo o meu lenço, o meu guardanapo, a minha almofada, o meu poste, o meu pãozinho quente.

Morrendo de sono, esfregava o nariz de um lado para o outro em suas curvas. Também aproveitava a sua parede para sufocar espirros e bloquear a tosse.

Já do pai, guardo o perfume de seus cotovelos. Ele fazia aviãozinho comigo. Levantava-me de surpresa, girava-me no ar, um pião do vento, e ia desacelerando aos poucos, até eu deslizar no escorregador de seus braços. Amortizava a queda em seus pelos.

Essas lembranças são as mais puras da minha vida. E as mais remotas. A memória olfativa jamais se engana.

Meu pai era o meu aeroporto, pondo-me ao alto, inspirando-me a aparecer para todos, numa viagem trepidante para o exterior das alegrias.

Minha mãe era a minha rodoviária, protegendo-me com os seus viadutos e sombras, onde desaparecia para o interior de meus medos.

Mãe e pai sempre serão os portões de embarque da nossa personalidade.

Desodorante só veio depois. O que usávamos em casa era talco, tanto adultos como crianças.

O pó grudava na pele ao sair do banho. Eu me sentia um bife à milanesa pronto para a escola.

Passava por duas nuvens logo cedo: a do vapor do chuveiro quente e a do talco. Botava o pulmão para fora com a série de espirros. Nunca espirrei tanto como nessa época. Partia do talco para o giz do quadro-negro, minha aura permanecia adocicada, esfumaçada.

Fui grisalho na minha infância e na adolescência. Já me acostumei desde cedo com os pelos brancos — nenhuma velhice me assusta.

Quando alguém tirava o cisco do meu olho, soprando fortemente por dentro das pálpebras, levava também a poeira branca do pescoço. Era engraçado, dava vontade de rir da casualidade.

Havia outra dinâmica na higiene. Outra atmosfera. O spray não dominava os armarinhos. As mulheres recorriam a um pompom para retirar o conteúdo alvo e se perfumar. Os machos despejavam o pote direto nas axilas, metade caía no chão. Deixavam um tapete de neve pelo banheiro.

Não se levava perfumaria ao trabalho, tarefa exclusivamente doméstica. Como as pessoas voltavam para almoçar em casa, existia a oportunidade de reforçar a beleza e de retocar-se. O dia assim oferecia dois turnos para se arrumar e remediar o suor da manhã.

As bolsas femininas eram mais leves. Os homens carregavam apenas um pente no bolso de trás da calça, sempre esquecendo o objeto e quebrando-o na hora de sentar à mesa.

Todos cheiravam semelhante: a travesseiro limpo, a tio e tia felizes, a vó e vô passeando, a residência antiga. Todos cheiravam parecido. Talvez por isso o talco me dê saudade de família. O talco é cheiro de família unida. O talco é cheiro de quando tínhamos tempo, de quando nos olhávamos mais, de quando espanávamos o excesso das camadas no abraço, de quando a vaidade e o egoísmo não eram maiores do que a vontade de estar junto. A igualdade não matava a diferença.

O olhar não sai mais do chão.

Enquanto caminhava pela minha rua, todos que passaram por mim não me viram. Tanto faz ser de carne ou invisível. Tanto faz. Poderia trajar biquíni ou andar com as vestes reluzentes de rei mago, tampouco provocaria escândalo.

As pessoas se fixavam em seus celulares. Aguardavam um carro de aplicativo, respondiam uma mensagem, telefonavam para alguém. Ninguém caminhava de verdade. Sugados pela realidade virtual de seus dedos, não interagiam, não cumprimentavam, não poderiam sequer dizer a sua localização precisa.

O celular está nos encurvando. Não duvido que retomemos a postura dos primatas.

Tudo é horizontal, nada mais é vertical.

Não observamos o alto dos prédios, o formato das nuvens, a posição das estrelas. Não procuramos acompanhar o rasante de um pássaro e a tapeçaria dos fios telefônicos. Não espiamos se há ninhos nas árvores e casinhas de joão-de-barro nos postes de luz. Não definimos pelo horizonte avermelhado se o sol vai permanecer na manhã seguinte.

A bússola morreu dentro do relógio. O que vale são números digitais. Poucos conhecem as horas pelos ponteiros.

As crianças não estão mais se situando pelas constelações. Algumas desconhecem até as fases da lua.

Não procuramos mais Órion e Cão Maior. Não mais nos surpreendemos com as Três Marias. Não mais rimos quando achamos Touro e confirmamos que o seu desenho luminoso condiz com o animal. A noite vem sendo uma praia deserta, com seus grãos estelares jamais pisados pelas nossas pupilas.

Como se o nosso mundo fora reduzido à altura das mãos.

Estamos mais próximos da cova do que do céu.

Milagres não chamam atenção. Só acreditamos em posts e vídeos, não naquilo que acontece em nossas janelas.

Perdemos a capacidade de olhar nos olhos de quem amamos. É muito alto, muito fora do perímetro do aparelho.

Temos medo de encarar o que é vivo e intenso, o que pede ajuda e abraço. Olhar nos olhos é dizer alguma coisa, é romper a vaidade de nossos casulos.

Desaprendemos a nos reconhecer no outro. Somos distantes mesmo próximos. A selfie é o nosso espelho, não mais o amor.

O celular matou a agenda. Foi homicídio qualificado.

Eu deixei de adotá-la em 2015, quando vi que o exemplar só servia para guardar papéis e documentos com seu providencial elástico. Era, na verdade, uma pastinha. Passei a anotar os meus compromissos em minha agenda virtual. E nunca mais olhei para trás.

Meus pais ainda usam a agenda física. Assim como os meus amigos terapeutas, médicos e advogados acima de cinquenta anos. São poucos os sobreviventes do hábito.

Lembro que eu me demorava nas livrarias e tabacarias para escolher o modelo. Havia uma ansiedade louca e alegre na compra. O tipo definia o que eu queria ser naquele ano: cores discretas revelavam um desejo de ser levado a sério, cores fortes anunciavam criatividade e irreverência. Já os adolescentes desdenhavam do formato de livro e optavam pelos espirais descolados, com adesivos e plásticos.

O preço aumentava de acordo com os serviços opcionais. Sem internet, a agenda é nosso Google. Eu nunca tive uma versão gorda, completa, que pudesse impressionar os colegas. O meu exemplar ficava reduzido a um mapa-múndi, dados pessoais e comerciais.

Mas salivava com os recursos dos outros. Minha tia Cléa me humilhava com a sua Bíblia de datas. Quando vinha nos visitar, colocava a sua portentosa agenda preta aveludada em cima da mesa — devido ao tamanho, não cabia na bolsa.

Eu folheava com prazer assombroso: constava o ano anterior e o próximo, Organização Financeira, Calendário Lunar, Datas Comemorativas, fusos horários das principais cidades, signos e estações, números de vestuários, cias aéreas, capitais, idiomas e moedas dos principais países, distâncias entre capitais brasileiras, expressões estrangeiras, vocabulário comercial, DDD e DDI.

Não dependia de mais nada para ser feliz. Ela brincava:

— Me lembra de tudo, não há nem a necessidade de marido.

A agenda costumava ocupar o papel central de vedete dos presentes de Natal, disputada a tapas no Amigo Oculto e nas cortesias de trabalho.

Não se começava o ano em branco. Obrigava-se a arrumar uma edição até o fim de fevereiro, de qualquer jeito.

O interfone toca e todos de casa já perguntam: quem deve estar incomodando a essa hora? Não importa o turno, o barulho intermitente é um dos menos desejados pela família.

Qualquer visita soa como perturbação da ordem doméstica. O imprevisto surge como sinônimo de problema. As pessoas se fazem de surdas para não sair do conforto de seus afazeres e cantinhos. Atender ao interfone é se responsabilizar pelo trabalho de descer. Ninguém quer assumir esse compromisso.

Não sei em qual momento de nossa vida as visitas passaram a ser malquistas, mas isso mostra o quanto reduzimos a nossa capacidade de acolhimento. Somos avarentos com o nosso tempo. Não nos permitimos distrações generosas.

A residência se transformou num *bunker* de isolamento, um espaço fóbico, uma extensão do escritório, onde não se pode sacrificar o andamento das demandas planejadas e dos objetivos a cumprir.

Quando exatamente passamos a odiar as visitas, a nos afastar do ato de receber quem gostamos? Até os amigos são penetras em nossa felicidade.

Talvez seja uma decorrência do uso crescente do celular, poder telefonar a qualquer instante serviu também para restringir a convivência.

Os encontros com os nossos confidentes são monitorados, agendados, como se estivéssemos confinados em uma cela.

Na minha infância, no fim dos anos 70, não funcionava assim, com essa monstruosa indiferença.

Não existia nem campainha. Tínhamos que bater palmas no portão e gritar o nome do morador: "Ó, Ó, Ó, Fulano!"

Feliz desse tempo em que casas eram aplaudidas. Realizávamos uma serenata à capela. Os latidos dos cachorros nos ajudavam a ser vistos. Aparecíamos sem avisar, sem ter a certeza de que haveria gente para nos receber. Não praguejávamos a viagem perdida, não se reclamava das tentativas. Às vezes batíamos com a cara na porta, e nem por isso nos sentíamos ofendidos e maltratados. Sempre explicávamos com modéstia: "estava por perto".

Mas nada apagava a emoção de quando alguém nos localizava pela janela e nos convidava a entrar, com sincero interesse. E nos agradecia a surpresa e nos convidava a almoçar ou jantar, não por mera educação, e sim com uma leveza indescritível, pondo mais um prato na mesa e as conversas em dia.

Não inventávamos desculpas para os amigos. Mentíamos menos.

Sempre sábado à tarde, alguém batia palmas na frente do portão. Ele se esgoelava gritando para vencer os latidos e aplaudia fervorosamente o infinito das janelas, como quem pede bis a um artista.

E já sabíamos quem era: o incansável vendedor de enciclopédias. Por mais que recusássemos, ele voltava para alcançar suas metas. Não aceitava recusa. Antes do nosso "não" definitivo, deixava o folheto colorido e dizia para os pais pensarem no assunto com calma.

Nos anos 70, reinava o conhecimento escrito. Ter uma enciclopédia significava a salvação do ensino para as crianças, a retaguarda dos trabalhos escolares e pesquisas para apresentações em grupo. Lá se encontravam as grandes invenções da humanidade, a história das civilizações, a anatomia do corpo explicada por plásticos sobrepostos, os maiores cientistas e personalidades. Impossível de se ler inteira, com vinte volumes e mais de onze mil páginas, atendia somente a consultas pontuais. A vastidão impressionava os possíveis clientes — compravam cadeiras no céu da sabedoria.

Além de ser vista como investimento, produzia glamour e inveja. Quem conseguia adquirir esnobava as visitas: colocava na estante da sala, atrás do sofá, com os tomos alinhados em sequência numérica. Aparentava uma biblioteca cenográfica de novela, nada fora do lugar.

No mundo sexista do período, mulheres vendiam cosméticos de porta em porta, em especial a partir de revistas da *Avon*, e homens circulavam com edições da *Barsa* ou da *Britannica Mirador* debaixo dos braços — a *Britannica* custava o dobro, pomposa, maior e de capa marrom, reservada à classe média alta. Quem adquiria a *Britannica*, invariavelmente, tinha piscina; a relação fazia sentido.

O vendedor seguia uma carreira séria, surgia de terno e gravata, cabelo engomado, sapatos engraxados e falava difícil de propósito, para justificar o pacote promocional da sapiência. Lembrava um segundo idioma, só mesmo com dicionário ao lado para entendê-lo.

A assinatura da enciclopédia costumava ser celebrada com comemorações pelas famílias, partilhando do status de batizado e casamento. Não se pagava à vista, mas em parcelas a perder de vista, como se fosse um carro ou um imóvel, em uma porção de cheques pré-datados atravessando décadas de penúria.

Quando meus pais compraram o produto, deram tapinhas em minhas costas:

— Agora tem tudo nas mãos para ser alguém na vida!

Sou da cultura do doce. Almoço e jantar são apenas aperitivos. Eu me interesso por aquilo que vem depois, para acompanhar o cafezinho.

A infância me condicionou. A gente comia o básico, feijão com arroz, bife e salada, com variações de acordo com o dia. Às vezes massa, às vezes bolo de carne, às vezes pastelão, dependendo do tamanho da conta e do fiado no armazém.

Não reclamávamos da mesmice do cardápio, desde que não faltasse a cobiçada guloseima.

O escândalo residia na primeira prateleira da geladeira, com pudim ou ambrosia ou sagu ou cassata ou doce de leite ou torta de bolacha ou pavê. A mãe se esmerava nas surpresas (como arranjava horário para preparar? Não sei, não faço nem ideia, magias inexplicáveis da maternidade).

Morava numa involuntária confeitaria. Ninguém dispensava a sobremesa naquele tempo. Guardava um espaço imaginário no estômago para não a desperdiçar, não repetia as porções e recuava o apetite antes de me empanturrar.

Podia-se estar atrasado para o trabalho ou a escola, não permitíamos que a pressa apagasse os nossos caprichos e o momento solene dos pratinhos pequenos.

Os garfos e facas não conseguiam vencer a importância das colheres.

Não se falava nada durante o almoço em família. O silêncio imperava naquele instante, cortávamos a carne instintivamente, máquinas de triturar e moer a comida. O que se escutava se resumia aos barulhos dos talheres na porcelana.

Mas todo mundo abria a matraca milagrosamente na hora da sobremesa. Vinham confissões, risadas, bobagens, lembranças. Éramos desconhecidos no sal, íntimos no açúcar. Abraços aconteciam mais fácil, carinhos nos cabelos surgiam aos borbotões.

Acredito que as famílias hoje deixaram de falar porque extinguimos a sobremesa. Os filhos não mais relatam as suas façanhas nas aulas porque abolimos a sobremesa. Os pais não trocam mais beijos e juras de amor na frente dos outros porque erradicamos a sobremesa da rotina.

A glicose sempre salvou as amizades e os relaciona-mentos. As palavras nadam quando estamos com água na boca.

Nunca dispensávamos a televisão pequena, desfocada, irregular. Mesmo quando comprávamos uma televisão maior, jamais a jogávamos fora.

Ela era a televisão da casa de praia. Um monumento do nosso litoral.

Esquecida na garagem o restante do ano; no verão, assumia a condição de protagonista.

Lembro-me da mãe enrolando o aparelho em um cobertor e colocando-o no porta-malas com o máximo cuidado. Estragar a tevê comprometeria a dinâmica familiar.

Não tinha o que fazer de noite a não ser jogar cartas e ver a novela. Não existia, como hoje, o mundaréu pago de canais. Com muito custo, acertávamos a sintonia do doze.

Voltávamos uma década no consumo. Éramos retrôs por necessidade. A rodovia colocava um muro em nossos hábitos.

No descanso, usávamos todos os objetos ultrapassados: ventilador sem tampa, incenso boa-noite para matar mosquito, geladeira Frigidaire, fogão de quatro bocas, espanador de pó, rodo de chuveiro.

No nosso museu, a tevê ocupava a vitrine mais disputada. A imagem fugia, tremia, salteava, alguém precisava ficar na frente rezando e acertando a posição da antena.

— Para a esquerda, para a direita, deu, deu! Não mexe mais.

Um temporal poderia estragar o passatempo dos próximos meses. O sol não só garantia o bem-estar na areia, mas a programação noturna.

Nem reclamávamos da tela minúscula, do tamanho de uma régua de escola, menos de catorze polegadas. Com um binóculo, até dava para reconhecer um ator ou atriz. Legendas, nem pensar, surgiriam embaralhadas como bulas de remédios. Às vezes, a tevê parecia um rádio, mais som do que nitidez. Os familiares repetiam as cenas para quem estava mais longe. O controle remoto era o dedão.

Apesar da precariedade, ninguém queria dormir no quarto. Felizardo quem escapava da escalação dos beliches e pernoitava no sofá, com o privilegiado acesso livre aos filmes do madrugadão.

As melhores lembranças sempre foram dos tempos mais simples.

Tinha que pregar um botão em minha camisa. Estava atrasado. Não queria olhar de novo todo o guarda-roupa para uma nova escolha. Deduzi que seria menos trabalhoso repor o botão, já que a calça combinava com a estampa, que combinava com o casaco, que combinava com os sapatos.

Sofria para atravessar o fio na cabeça da agulha. Ia pelas laterais, jamais por dentro. Como um gol falso festejado pela torcida, quando a bola vai pelo lado de fora da rede.

Apelei para o meu filho:

— Você pode pôr a linha para mim? Tem olhos melhores do que os meus.

Ele colocou sem muito esforço. Atingiu o alvo até com humilhante facilidade.

O *flashback* foi assustador. Eu me revi pequeno na cozinha, a mãe me confiando a missão: "Seus olhos são melhores do que os meus."

Eu me achava útil reparando a rara fragilidade ocular da minha mãe; ela, que parecia não apresentar defeitos. Dificilmente ela pedia ajuda, mania de todos os pais. Ela já havia tentado em vão seguir sozinha, molhando a ponta do fio com a saliva, sem resultados imediatos. Ladeava o aço, com a visão embaralhada e um quê de ansiedade.

O ato de encilhar a linha na agulha demonstrava ser mais grandioso do que eu imaginava. Três gerações — avó, pai e filho — se juntavam numa mesma mão, atravessando três décadas. O tempo corria, mas a família permanecia se ajudando.

Quantas afirmações da minha mãe, inconscientes e preciosas, ainda existem em mim para serem repetidas?

Havia tanto amor envolvido naquela banalidade doméstica: a esperança de costurar as próprias roupas, a decência do pouco, o cuidado com aquilo que se tem e também a felicidade de realizar uma tarefa a dois, que poderia ser de uma solidão ingrata.

O que me leva a parafrasear, generosamente, a Bíblia: é mais fácil passar o filho pela agulha do que entrar o rico no Reino de Deus.

Meu pai mantinha uma poltrona reclinável no meio da sala, um trono suntuoso e confortável, mas não chegava perto em importância e realeza à cadeirinha de praia amarela da mãe.

A mãe funcionava com aquela cadeirinha que abria e fechava. Carregava-a para todos os cantos. De manhãzinha, pedia licença para as oliveiras e escrevia poesia debaixo de suas sombras. De tardezinha, colocava-a na frente da porta, na varanda, para tomar o seu chimarrão e ver as pessoas passarem.

Quando recebia visitas, deixava o sofá para os outros e plantava o seu assento predileto ao lado.

Sua cadeirinha franciscana, barata, simples, que não ocupava espaço, que ficava pendurada num prego na garagem, representava a sua personalidade sempre em movimento, acompanhando os filhos, protestando, aumentando o tamanho da casa.

Ela botava a cadeirinha no porta-malas do carro e ia ao mundo. Participou de greve do magistério com a cadeirinha. Encampou plantões da Defensoria Pública com a cadeirinha. Realizava passeios na orla do Gasômetro com a cadeirinha. Transportava o seu berço na vida, não cobiçava o cantinho de ninguém, não padecia de inveja, não desejava que alguém se levantasse para sentar.

A cadeirinha era a sua gaita de revoluções. Um Piazzolla de noite, um Borghetti de dia. Para a alegria e a tristeza. Para o tango e a canção gaudéria. Recusava o luxo e preferia a mobilidade.

E não morávamos numa cidade litorânea, o que aumentava o impacto da cumplicidade. Transgrediu a função de mar pelo infinito de suas tarefas em Porto Alegre.

Quando prestei concurso para o vestibular de Jornalismo, tenho certeza de que fui aprovado porque ela rezava lá fora.

Durante as cinco horas da prova, permaneceu parada na frente da escola, sentada em sua modesta cadeirinha de praia, desfiando o terço sem parar, do crucifixo às pedras, das pedras ao crucifixo. Não arredou o pé dali até eu aparecer com os canhotos das respostas. Eu lembro que a xinguei, que eu não era mais criança, que não tinha cabimento ela aguardar tanto tempo no tédio, mergulhada no nada, que podia esperar na comodidade de casa, que dava no mesmo, que aquela vigília apenas aumentava a minha ansiedade.

Mas, no fundo, fazer o teste acompanhado multiplicou minha fé. Não estava sozinho para perder, muito menos para ganhar.

Não subestime a criança. Não deixe de contar para ela o que está sentindo. Não espere que ela fique adulta para esclarecer as sombras do passado — pode ser tarde demais, pode custar análises e confusões inacreditáveis. É preferível que a criança enfrente a verdade do que os monstros de sua imaginação. Se você está chorando e o filho pequeno se aproxima perguntando o que foi, não diga que não é nada, estabeleça claramente que não está num dia bom e narre as suas preocupações. Se fingir, a criança aprenderá a mentir e a esconder os próprios sentimentos vida afora. Demonstrará que não confia nela. E ela tampouco abrirá seu coração quando precisar. Na adolescência, fechará a porta do quarto e de seus segredos, afirmando também que não é nada

Filho é filho, não importa a idade — terá condições de absorver do seu jeito. É um telepata das emoções. Uma esponja das crises. Criança entende mais rápido o que vem acontecendo do que você imagina — entende e resolve com um abraço, entende e resolve com um beijo, entende e resolve com um cartão, entende e resolve melhor que muito marmanjo, oferece ternura em vez de palavras ásperas de ordem, restrição e sermão.

Minha mãe não camuflou sua dor. Desabou em lágrimas na minha frente, expondo que o casamento com o meu pai havia terminado. Eu era um toco de gente e ela me pediu ajuda. Não me assustei. O desespero infantiliza a pessoa, e de repente a senhora dos meus cuidados tornou-se a minha primeira filha.

Eu peguei a minha mãe pela mão e falei:

— Vou lhe cuidar.

Acendi algumas velas e as depositei no canto da banheira, preparei um banho bem quente, despejei um pote de xampu na água, para criar espuma, e esfreguei as suas costas lentamente, enquanto ela expulsava os soluços. O escuro com as chamas tremeluzindo lhe deu alguma esperança de igreja. Escoltei a sua saída para pisar no tapete, entreguei-lhe uma toalha e ela dormiu mais cedo aquela noite. Vigiei o seu sono até que a respiração voltasse ao normal.

Quando menor, ajuda-se sem entender. Quando maior, você precisa entender para então pensar em ajudar.

Fiz uma pergunta boba para mim: o que estarei fazendo daqui a vinte anos? Eu me imagino viajando mais com a esposa, com menos trabalho, os filhos já criados, adultos, talvez casados. Estarei escrevendo poesia sem pressa de publicar e aprendendo italiano e alemão, só para ler alguns autores prediletos no original. Dividi a mesma questão com os meus amigos e irmãos, e fantasiei cada situação extravagante que comecei a rir sozinho.

Até que o raciocínio chegou aos meus pais, e emudeci. Meu sangue parou. Onde estarão o meu paizinho e a minha mãezinha daqui a duas décadas?

Talvez mortos, não quis pensar em voz alta, mas pensei. Bati três vezes na madeira e me engasguei de saudade. Dificilmente chegarão aos cem anos, é uma loteria em que poucos são premiados. O que seria da minha vida sem eles? Eu jamais cogitei a minha existência longe do abraço e da bênção da minha mãe e da gargalhada e das distrações bonitas do meu pai, longe do xale e das echarpes da mãe e das boinas do pai.

Angustiava-me a ideia de não ter mais os seus números de telefone no celular, não ter mais o paradeiro para pedir conselho, passar na frente de suas casas com outros moradores dentro.

Não conseguia mastigar a perspectiva da ausência eterna. Insuportável hipótese — são caixas e caixas de lembranças com os dois que não teria onde guardar em algum lugar de mim.

Vinte anos são nada, e podem ser mais nada de repente. Os meus projetos de viagem e de idiomas foram desbotando.

Vi que não estou preparado para a despedida. Não suportaria dizer adeus a um deles em um leito de hospital. Não haveria força para a alça do caixão. Eu enlouqueceria de tristeza, de mágoa, ainda há tanto por dizer, ainda precisam conhecer os netos que não nasceram, ainda precisam bater em minhas costas e comemorar comigo as façanhas da família. Um medo incontrolável crescia em minhas mãos, que tremiam com o pressentimento nem tão longínquo: serei pior sem eles; não serei o mesmo sem eles; o que será de mim sem eles?

Uma coisa é o filho sair de casa, outra coisa muito mais dolorida é quando os pais saem do mundo.

Quando eu os imaginei falecidos por um instante, qualquer discussão boba evaporou, qualquer ressentimento antigo desapareceu, o orgulho da razão se quebrou em pedaços, não há nenhum motivo para brigar com os dois por nada mais nessa efêmera vida.

Mudei a pergunta para as próximas vinte horas e eu sabia muito bem onde estaria. Ao lado dos meus pais. Até o fim. Até alcançar a paz. Até que eles entendam claramente, perfeitamente, didaticamente, com todas as palavras, com todos os silêncios, o quanto sou agradecido por ser o filho deles. Até ter certeza de que dei tudo de mim.

Perder os pais é difícil. É um misto de desamparo e solidão. Antes existia solidão, mas não desamparo.

Mais difícil ainda é a morte dos pais quando se é filho único. Não há nem um irmão para dividir a raiva. Não há nem um irmão para apagar o sol, acender as velas e agradecer a chegada das coroas de flores. Não há nem um irmão para segurar a barra do caixão enquanto se soluça. Não há nem um irmão para dar atenção aos amigos e parentes e receber as condolências. Não há nem um irmão para se revezar na vigília. Não há nem um irmão para desamassar o vestido e o rosto. Não há nem um irmão para apertar o nó da gravata e afrouxar o nó na garganta. Não há nem um irmão para abraçar, encostar a orelha e diminuir o peso dos ombros. Não há nem um irmão para ajudar a resgatar exatamente como era aquele colo e aquela voz. Não há nem um irmão para completar o quebra-cabeça, organizar o álbum de fotos dos pensamentos. Não há nem um irmão para reavivar as cenas remotas da infância e reconstituir o passado. Não há nem um irmão para fazer uma piada e desacelerar o medo. Não há nem um irmão para pedir carona. Não há nem um irmão para falar com o padre. Não há nem um irmão para ocupar as horas, suportar o escuro do quarto, o silêncio dos corredores vazios, o coração batendo em vão como uma porta sendo esmurrada sem ninguém mais em casa. Não há nem um irmão para segurar o lençol do outro lado para cobrir os móveis. Não há nem um irmão para apertar a mão no Pai-nosso. Não há nem um irmão para não ter que ser o filho predileto, não ter que ser o responsável, não ter que ser quem cuida de tudo no fim de tudo. Não há nem um irmão para lembrar que é necessário comer algo, beber algo, seguir a vida.

Entendo o sofrimento do filho único. É nem saber por onde começar a se despedir. É olhar fixamente para o dia parado e permanecer sentado na data, até a lágrima aprender a descer. Uma lágrima tão grossa, tão grossa, que parece sangrar e levar os olhos junto.

Mas, diante da morte dos pais, não há privilégio nenhum: todo filho, mesmo com irmãos, é filho único na dor.

Os pais maduros não desejam um convite para almoçar ou jantar fora. Não é isso. Não procuram o luxo das visitas ou as mordomias dos hóspedes. Não anseiam por restaurantes caros e cardápios poliglotas.

Dispensam as fachadas iluminadas das redes sociais. Não estão interessados em impressionar os outros e nas estrelas das avaliações.

A alegria deles é mais reservada, discreta, com o brilho apaziguado dos objetos domésticos.

Pois a culpa quer impressionar e gasta fortunas para compensar a ausência, já o agradecimento é barato e não quer nada além da simplicidade da rotina e da repetição dos hábitos.

Bom filho não é o que o leva os seus velhos para sair de casa, é o que aparece na casa deles sem hora marcada, como se nunca tivesse saído um dia.

Bom filho é o do entardecer, surgindo antes da noite, com o sol caindo nas costas.

Não há maior glória aos pais do que um filho que traz pão quentinho da padaria para um café da tarde. Põe a mesa e se senta na cozinha, com o aconchego da infância.

Abrir o pão para o pai e a mãe, ouvir o estalar da casca, deixar a faca deslizar com a manteiga em seu miolo e saborear a amizade dos dois dedos de leite quente na xícara.

A refeição pode ser até na mais completa quietude, rompida apenas com o ir e vir das bandejas.

O café da tarde é quando realmente nos sentimos em família, como parte de uma família. É o antídoto que sempre funciona rapidamente contra o desespero.

Como você percebe que a sua vida deu certo?

Pelas amizades. Pela longevidade dos laços. Pois, se mantém os amigos por perto, apesar das mudanças e provações ao longo dos anos, é porque realmente respeita as diferenças e cuida dos seus afetos. Não transformou a solidão em egoísmo, não foi engolido pela vingança e o ressentimento, não acabou mordido pela vaidade, não sucumbiu à inveja, aceitou que colegas fizessem suas escolhas e permaneceu ao lado nas consequências.

A lealdade é sinônimo de gratidão. Honrou o amigo com seu sucesso do mesmo jeito que honrou o amigo com suas crises e tombos. Honrou o amigo triste do mesmo jeito que honrou o amigo alegre. Honrou o amigo que perdeu as suas raízes do mesmo jeito que honrou o amigo com a vastidão de galhos genealógicos. Aceitar é agradecer e perdoar, simultaneamente. Não ser igual, mas ser justo.

Minha mãe preserva duas amigas de sua infância em Guaporé (RS). Maria, com Nayr e Marília, forma um trio inseparável de professoras. Já atravessaram uma cumplicidade de mais de setenta anos. Sete décadas se falando e se ajudando.

Nayr e Marília são viúvas, a mãe é divorciada, todas se ampararam em diferentes fases do amor, não se distanciaram por nada, madrinhas das bênçãos e colo perpétuo das dores.

Quando as vejo juntas, rindo e se abraçando, senhoras do destino, eu tenho a convicção de que continuam três meninas brincando com a posteridade, dentro do faz de conta das palavras. Elas formam o milagre do entendimento, a força absurda das confidências. Sabem de cor o que cada uma é capaz de sonhar. Dividiram um internato, mudaram-se do interior para a capital, passaram, lado a lado, pelas festas de debutante, pelo altar, por batismos de crias e netos. As três viram o mar pela primeira vez em Copacabana, no Rio de Janeiro, de mãos dadas, pulando corda com as ondas. O oceano é tão infinito quanto seus gritos de alegria.

Maria, Nayr e Marília nunca vão envelhecer uma para a outra. Porque jamais deixaram o tempo ficar entre elas.

Eu não tenho noção de como os meus velhos sofrem.

Quando o meu pai me disse "todos os meus amigos estão morrendo", a partir do seu desabafo, passei a imaginar o que seria da minha vida sem os meus escudeiros. Sem o Zé. Sem o Corso. Sem o Scott. Sem o Ruffato. Sem o Vinicius. Sem o Everton. Sem o Dudu. Sem a Francesca.

Quem eu procuraria para contar as novidades e reclamar das dificuldades? Para quem desabafaria? Para quem pediria socorro?

Não sei se resistiria.

O que é se despedir de todos que amamos gradualmente? O que é se ver longe do amigo do boteco, do futebol, do entardecer, dos padrinhos de casamento e de nossas crianças? O que é enterrar na gaveta um por um dos porta-retratos prediletos?

Pois a velhice assassina os álbuns de fotografias inteiros de casa. Vão desaparecendo os companheiros de nossas principais memórias, vão sumindo partes importantes de nossa personalidade, fragmentos e lugares de nossos suspiros.

Há risadas que existem apenas com alguns, há histórias que apenas podem ser contadas por alguns. Um punhado de alguns que formam o nosso patrimônio de resiliência.

Meu pai evita ler obituários no jornal, para não começar o dia em luto por alguém que conheceu ou com quem conversou.

Uma vez por mês, está preso a um velório, a um enterro. A agenda nunca é certa e definitiva, abertas e rompantes e marchas fúnebres. Seu terno preto nunca esteve tão gasto.

O pai experimenta uma pungente solidão geracional. Uma solidão sem parâmetros. Uma solidão que lembra um despejo com aviso prévio.

Ele anda mais calado do que o costume, porque não tem mais para quem ligar. Sinto que metade do seu idioma ficou parado, sem uso. Mal mexe em sua caderneta marrom de telefones.

A dor é maior para os que ficam. Afora o medo que se instala na perda de um integrante da turma, afora a desconfiança de reparar entre os presentes de cabelos grisalhos e perguntar para si, em pensamento: "Quem será o próximo?"

Os filhos precisam ser, além de filhos, amigos dos pais, cúmplices das façanhas e das piadas, compassivos das repetições e das releituras do tempo. Que dobrem os seus esforços diante dos dobres dos sinos. Para atenuar um pouco a saudade cruel que os velhos amargam dos seus contemporâneos.

Eu fiz aquilo que sempre odiei.

Notei uma mancha de pasta de dente no casaco do abrigo do meu filho antes da saída para a escola e tentei limpar com a saliva. Foi um gesto impensado, passional, visceral. Quando vi, já raspava a unha no tecido. Havia desaparecido o pedágio do pudor e segui com os braços em alta velocidade.

— O que é isso, pai?

Ele me censurou, e, então, caí em mim. Acordei do transe paterno, do coma do instinto que atinge os bichos com as suas crias. Resmunguei uma desculpa, mas ainda assim estava errado, sentindo-me convicto do meu ato. Veio a confusão de lembranças: ser pai é voltar a ser filho.

Lembrei que a mãe tinha a mania de tirar alguma mancha do meu uniforme escolar umedecendo o dedo em sua boca. Assim como ela virava as páginas das revistas nas salas de espera dos consultórios. Achava nojento. Preferia ir para a aula sujo a ir com o casaco cuspido. Não me fazia mal a mancha de café ou do Nescau, justificáveis, eu me incomodava com a esfregação improvisada. Jamais sonhei que estaria no outro lado do balcão da alma, realizando o que abominava. Jamais imaginei que, de vítima, viraria o protetor.

Mas a vida propõe a mudança generosa de lugares. Eu só não queria o meu filho entrando na sala deselegante. Ele pairava acima dos meus nojos e preconceitos. Não teria mesmo como me controlar. A educação supera condicionamentos e medos e somos mais do que a nossa mera identidade.

Não sofro com a fama de chato que possa receber por minhas tempestuosas manias.

Uma hora ou outra, o feitiço voltará contra o feiticeiro. O que mais odiamos, com o tempo, será o que mais amaremos. Eu amo o que odiava. Amo fazer coisas que eu odiava que meus pais fizessem. Amo ser hoje os meus pais. Com os hábitos invasivos de mexer no cabelo dos filhos de repente, para ajeitar o penteado, ou de me agachar do nada para arrumar as bainhas das calças presas às meias. E apanhando até terminar as tarefas: eles estapeiam as minhas mãos quando sou frenético pente ou começam a caminhar quando sou imóvel engraxate. A resistência deles com "para, pai" ou "não precisa disso" aumenta a minha ternura. Experimento cenas patéticas e ridículas publicamente.

Surgem relâmpagos de cuidados que não sei frear. Riscam o céu das minhas veias. O clarão impulsiona o corpo e ele simplesmente obedece. Morreria se não o fizesse. Chamava minha mãe de dramática e agora divido o palco com ela na ópera do cotidiano.

Talvez o zelo morasse em mim desde pequeno, esperando a paternidade para aflorar.

Não sou filho dos mesmos pais que os meus irmãos, apesar de termos os mesmos pais.

As características físicas são comuns, somos reféns do DNA, só que o biotipo do temperamento seguirá caminhos distintos.

É só sentar com Rodrigo, Miguel e Carla que cada um descreverá uma mãe e um pai diferentes. Quase opostos. Possivelmente antagônicos. Não predominará harmonia e consenso no retrato falado.

Afora a competição para identificar quem é o mais mimado ou o predileto, a turma não partilhará de iguais olhos para as lembranças. Haverá aquele que é mais generoso e se contenta com pouco, haverá aquele que recordará exclusivamente das brigas e reclamações, haverá aquele que será tocado pelas confraternizações mais do que pelos atritos, haverá aquele que aceitará a normalidade dos altos e baixos. No conclave dos laços, seremos como os sete anões evidenciando uma virtude ou um defeito em nossa personalidade. Discutiremos o passado como se fôssemos o Soneca, o Dengoso, o Feliz, o Atchim, o Mestre, o Zangado e o Dunga

E todos têm razão e nenhum tem razão.

Os pais são aquilo que conseguimos enxergar, e não o que realmente recebemos. Eles decorrem mais de nossa capacidade de acolhimento do que de nosso parcial julgamento. Nem sempre aceitamos o que eles podem dar.

Tudo depende de quantas chances nos permitimos para o verdadeiro diálogo.

Você pode perguntar mais quem eles são ou ser passivo e imaginar o que pensam. Você pode adotar conselhos ou tratá-los como censura. Você pode querer sair com eles ou não querer ser incomodado em seu quarto. Isso influenciará sua decisão.

Tanto é que os pais mudam conforme a nossa idade. Na infância, experimenta-se o padrão da cumplicidade. Na adolescência, reina a revolta. Na maturidade, vem a culpa. Na velhice, encontra-se o difícil espelho.

Passamos metade da vida fugindo deles e a outra metade tentando voltar para a família e fazer as pazes.

A questão primordial é que, involuntariamente, distorcemos a realidade para favorecer as nossas impressões.

O filho mais próximo da mãe não se relacionará perfeitamente com o pai, o filho apegado ao pai será mais crítico com a mãe, o filho que se mantém distante do pai e da mãe apenas elogiará os irmãos e se manterá com ressalvas à criação e educação herdadas.

A pergunta talvez não seja a qual dos dois você é idêntico, mas se deixou o pai e a mãe, em algum momento, puxarem também os seus traços com a disponibilidade e a convivência.

Minha mãe é uma controladora de tráfego aéreo. Toda mãe é. Dedicou sua trajetória a fazer os filhos voarem e evitar colisões entre eles.

Foi uma complexa missão com quatro crianças. Precisava impulsionar o desejo de cada um, a vocação de cada um, a atitude de cada um, a altitude de cada um, revezando entre a trilha no céu e a pista no coração.

Administrou o tempo de decolagem e de pouso dos sonhos e das ambições. Ajudou em aterrissagens forçadas após divórcios e fracassos. Tinha de contentar as singularidades, mas com a ressalva de que não se tornassem mimados e arrogantes.

Precisava cultivar temperamentos diferentes no mesmo espaço, sem que perdessem a conexão familiar.

A mãe tem um radar em sua intuição, sabendo onde estamos e o que fazemos, quais as nossas rotas e se são seguras. Ela se preocupa com a chegada de tempestades e ventos fortes. Ela nos avisa dos perigos. Prevê troca de aeroportos ou mesmo recomenda a manutenção da nave antes de transportar passageiros do amor.

É criticada por ver ameaças quando apenas enxergamos vontade de partir, é questionada por identificar problemas quando apenas desejamos seguir adiante.

Não sossega mesmo quando dorme, não se tranquiliza mesmo quando nada acontece. Age preventivamente em sua cabine de GPS e pontos verdes na tela. Jamais se desliga dos filhos. Sofre com acidentes que jamais aconteceram, sempre em sobressalto, atenta, esperançosa por um telefonema confirmando a nossa chegada.

Mas a pior luta para a mãe é manter os filhos unidos, para que conservem a proximidade e os laços afetivos além do sangue.

Não existe maior tarefa: prevenir choques e brigas, remediar o orgulho ferido e a teimosia, as quedas e quebradeiras.

Nem é apenas pelo ciúme das crias entre si, porém pelas circunstâncias desiguais de carreira e de realização pessoal, que fazem com que uma se sinta em desvantagem em relação às demais.

Acredito que os pais preferem que os filhos se amem a ser amados pelos filhos, tamanho o sacrifício da empreitada. Só se encontram em paz, quites com o tempo, no momento em que eles são irmãos cordiais. Podem, então, partir com a certeza de que todos se cuidarão e que nenhum passará dificuldade sozinho, que vão se ajudar, que a proteção mútua da infância não terminou com a maturidade.

Digo, sem errar, que o que os pais mais querem na vida é que os seus filhos se deem bem.

Na minha infância, havia uma figura central no cinema, hoje extinta: o lanterninha. Ele ajudava quem chegava atrasado à sessão a encontrar um local vago. Antes de começar o filme, o facho de luz se esgueirava entre todos os presentes em busca de uma poltrona vazia. Existia a arte de equilibrista de não atrapalhar os outros, o foco rastejava no chão até os joelhos dos espectadores. Não mais alto que isso, senão o povo chiava.

Tenho hoje sido lanterninha dos meus pais velhos. Lanterninha à luz do dia. Quando passeio com eles, o meu primeiro instinto é procurar um assento. No ônibus-lotação. No restaurante. Na sala de espera do médico. No shopping. Eles não podem permanecer muito tempo de pé. Só me acalmo quando avisto uma brecha na multidão. Eles usam os dedos para caminhar. Os dedos vão na frente, apalpando os obstáculos.

Como filho, devo abrir caminhos, me antecipar às inconveniências. Vivo no minuto seguinte para alojá-los no mundo e para que não sofram com a espera.

Dificilmente nos damos as mãos. Os velhos não dão as mãos, mas os braços. Sou cabide dos braços dos meus pais. Um gancho de seus passos lindos e lentos.

Aprendi a andar vagarosamente, aceitando o ritmo miúdo. Estamos sempre atravessando os degraus que se abrem e se fecham de uma escada rolante.

Enquanto o meu corpo obedece à calma, os meus pensamentos correm para os lados a prospectar possíveis descansos.

Nunca valorizei tanto uma cadeira. Nunca amei tanto uma cadeira. Nunca desejei tanto uma cadeira. Nunca sonhei tanto com uma cadeira. Nunca ambicionei tanto uma cadeira. Nunca sofri tanto por uma cadeira.

Troco o meu reino por uma cadeira, pela alegria deles em sentar após longo trotear. Quando conseguem, me retribuem com um olhar generoso, agradecendo sem falar, comemorando que não precisam explicar o que sentem.

Uma das grandes questões existenciais de uma criança é se sentir desejada. A mesma pergunta volta na adolescência, entre espinhas e acnes, com outro desdobramento mais científico: descobrir se foi planejado.

Mesmo que a gravidez não tenha sido programada, há a necessidade de confirmar com os pais se eles realmente queriam o bebê.

Machuca a esperança quando o filho escuta do pai e da mãe que pensaram num aborto. Pode vir a ser um trauma se enxergar como um acidente ou um estorvo, responsável pela interrupção de uma carreira e pela infelicidade do casal.

Meus pais deram a me perguntar se eu os amo. Mais do que o comum. A cada ligação ou encontro, questionam o meu apego a eles. Virou um mantra.

Até achava que a insegurança descendia de alguma suspeita, de que eu tinha feito algo errado para gerar a insistência ou que ouviram uma fofoca que colocara o afeto em risco. Mas não aconteceu absolutamente nada entre nós que mudasse o curso das conversas.

Percebi que, assim como a criança e o adolescente anseiam provas de que foram queridos e sonhados, os pais na velhice também tentam desvendar se são amados. Agem como se estivéssemos grávidos deles, esperando para ver se seguiremos a gestação ou não, aguardando a nossa decisão diante do teste de gravidez invisível no coração.

Eles têm medo da rejeição. O asilo se transforma numa ideia próxima a um orfanato.

O destino de todos é uma nova origem — retorna com força aquele receio antigo do cuidado e de quem estará ao lado.

No caso dos meus pais, não há mais ninguém para pedir ajuda — os avós já morreram e os amigos já envelheceram.

A desconfiança é natural: olham para mim com a avidez de um menino e de uma menina, com as pupilas graúdas de laranjas maduras, buscando a confirmação de que não os abandonarei, de que não os abortarei, de que não os largarei agora que mais precisam de mim.

Tenho duas pernas para colocar cada um em um joelho. Tenho dois braços para embalar cada um em um ombro. Não era assim que faziam comigo e os irmãos?

Os pais sabiam me segurar com uma das mãos enquanto seguiam com outras tarefas. Era com tal domínio que a minha cabeça se encaixava nos ombros deles. Eu me acalmava olhando o mundo pelo retrovisor e escutando suas vozes.

Os pais me seguravam pela barriga, com a nuca deitada no antebraço deles. Eu espiava o chão e recebia carícias nas costas para respirar melhor.

Os pais me seguravam de frente, e eu ficava sentado no ar, com as pernas estendidas na cintura deles.

Os pais me seguravam junto ao seu corpo, de modo que eu fechava os olhos contra o peito deles. Relaxava ao ouvir seus batimentos cardíacos.

Os pais me seguravam com os braços entrelaçados, embalando-me como se eu fosse uma jangada. Eu navegava certo da amarração firme e indestrutível da vela.

Os pais me seguravam em suas costas, eu podia mexer por dentro dos caracóis de seus cabelos, descortinando a paisagem.

Os pais me seguravam com as palmas severamente esticadas para atravessar a rua e as pontes.

Os pais foram o meu berço, o meu mosquiteiro, a minha escada, a minha poltrona, a minha cadeira de balanço, a minha rede, o meu armário.

Das grandes devoluções da vida, nada é mais bonito do que dar colo aos pais.

Aviso prévio é um direito da empresa. Mas é um constrangimento para o empregado. Ele só fica para receber mais um salário e ganhar um tempo extra para procurar outro posto no mercado.

Só que ele precisa ter sangue de barata, sangue-frio, para continuar o seu trabalho sem nenhuma esperança. É o mesmo que comparecer ao próprio enterro durante trinta dias, olhar a si mesmo no caixão e escutar o cochicho dos familiares e dos amigos, encharcados de compaixão com o seu destino malfadado.

É ter que encarar os seus colegas informados do fim como se ninguém soubesse de nada e seguir fechando negócios, continuar sorrindo, permanecer apertando as mãos dos clientes de modo seguro e confiante. É um fingimento desumano, apenas superado por personalidades fortes.

Talvez seja uma das experiências mais traumáticas do convívio. É enfrentar, de uma vez, a iminência de ser substituído e o contracheque resoluto, vazio de promoções e de crescimento profissional. Qualquer um que amargou o aviso se sente descartado e humilhado.

É um despejo educado, desprovido de raiva e escândalo, desfalcado de lágrimas e ofensas, em que se deve, gradualmente, esvaziar as gavetas e apagar os arquivos para deixar espaço e memória a quem vier.

Minha mãe, minha louca e abençoada mãe, é a única que pensa diferente. Depois que completou 75 anos, disse que recebeu aviso prévio de Deus. Todo dia a mais é lucro. São cinco anos de sobrevida feliz. Não ter futuro a inspira a se sentir livre para ser sincera e falar o que quer. Encontrou, na humildade dos limites, um aproveitamento total da rotina com afagos nos netos, leituras, encontros com amigas e cinema. Não deixa coisa alguma para depois, é para hoje e para agora. Não promete e se torna presente. Ela aparece em vez de cobrar visitas.

Ela acredita que já viveu bastante e agradece. Não pensa jamais naquilo que deixou de viver. Não assume o papel de coitadinha. Quando acorda de manhã, cumprimenta o sol se existe sol, cumprimenta a chuva se existe chuva e reza baixinho para Deus não notar sua malandragem.

Não é porque a saúde termina, o emprego termina que devemos terminar junto.

Uma morte com gratidão liberta a dor de quem fica.

Morrer agradecendo, mesmo depois da doença, mesmo depois do sofrimento, mesmo depois da resistência, é permitir que a família sinta confiança para continuar a caminhada. Desaparecem a culpa, o ressentimento, a ignorância da raiva.

Não morrer com o desaforo, mas com o suspiro da experiência de ter tido a chance de nascer.

Morrer dando conselhos, confortando os demais que não compreendem como pode estar tão tranquilo.

Morrer respeitando os médicos e os enfermeiros, que se empenharam ao máximo e não são deuses acima da vontade do tempo.

Morrer de velhice da alma (ela tem a sua própria duração e cronologia).

Morrer liberto, arfando os cheiros de que mais gosta como quem fuma um último cigarro.

Morrer preocupado mais com os afetos do que com a vaidade.

Morrer mantendo a cordialidade com os estranhos, não gerando mal-estar à toa.

Morrer sem a aflição dos minutos, sem a saudade do futuro.

Morrer como um herói anônimo.

Morrer consciente da finitude, não usando a emoção do desfecho para pedir favores.

Morrer como se fosse um dia qualquer, não interrompendo o noticiário.

Morrer com a curiosidade acesa, perguntando, querendo saber o que as pessoas pensam, interessado nos olhares e nos gestos.

Morrer não dispensando a educação, mesmo que ela seja desnecessária.

Morrer superando o egoísmo do corpo.

Morrer até esgotar o fôlego, naturalmente, deixando o destino determinar a partida.

Morrer com a noção de que a dor não é culpa de ninguém, não é uma injustiça, não é uma condenação inadequada: todos morrem.

Todos morrem, mas poucos aceitam a despedida com ternura e elegância.

Morrer sem querer avaliar o amor dos outros por tudo o que sofrerão pela sua ausência.

Morrer sem tentar prever a sua importância pelo número de pessoas no enterro.

Morrer significando.

Morrer com o riso de quem arriscou, porque triste é só quem morre antes de morrer.

Morrer não para fazer falta, e sim para honrar a presença.

Morrer dizendo obrigado aos filhos, à esposa, ao marido, aos netos, aos amigos, a cada um que viu o quanto se dispôs a amar.

Morrer imitando o fim do filme, com os créditos da sua vida subindo na tela.

Não tenho sequer um objeto do meu pai.

Nenhum cebolão antigo. Nenhum canivete suíço. Nenhum cachimbo. Nenhum cachecol. Nenhuma caneta especial.

Ele não me repassou talismã para lembrar sua importância. Não me chamou para o escritório em separado a fim de antecipar a mínima partilha. Não redigiu uma carta explicando o que era ser homem.

Mas herdei do meu pai o que sou.

Quando pequeno, eu o imitava. Hoje, ele me influencia.

Tenho dele a risada larga, bonachona, uma gaita que impulsiona o rosto para trás e me pede para fechar docemente as pálpebras.

Nosso pulmão é carregado de sotaque.

Tenho dele o jeito de cortar tomates na tábua, horizontal, absurdamente errado e divertido.

Tenho dele a mesma compulsão pelo atraso: sempre acreditando que posso fazer mais alguma coisinha antes de sair.

Tenho dele as mesmas distrações e desculpas furadas, as mesmas canetas explodindo nos bolsos.

Tenho dele o mesmo ímpeto de curar a raiva com uma caminhada pelo bairro.

Tenho dele a barba da juventude, as brotoejas no pescoço e a tendência de levantar a gola da camisa.

Tenho dele a adoração por sentar em balcões e experimentar pastéis em cidades estranhas.

Tenho dele as pernas tortas e os olhos puros de medo.

Tenho dele a mania por esculturas de cavalos e Dom Quixote.

Tenho dele a compulsão por riscar livros e escrever diários por códigos.

Tenho dele o dom de perder dinheiro e juntar amores.

Tenho dele o costume desagradável de gemer diante de um prato favorito.

Tenho dele igual religiosidade e oro quando vejo o mar ou o pampa.

Meu pai está espalhado pelo meu caráter. Não preciso de nada dele. Nem de uma vírgula emprestada. O que é uma lembrança para quem tem todo o seu passado?

Cada gesto que aprendi ao longo da vida é o esforço arredondado de copiar sua letra e repassar seu temperamento ao papel vegetal da literatura.

Ele está escondido em meus dias. Invisível e forte como o vento.

No momento em que viajo de avião, acabo me protegendo do frio transformando o paletó em cobertor. O casaco fica invertido, de frente para mim, com as mangas cruzadas nas minhas costas.

Aquele casaco é também meu pai me abraçando.

Nossa relação mudará, meus filhos, não se assustem, continuarei amando absurdamente cada um de vocês. Estarei sempre de plantão, para o que der e vier. Do mesmo jeito, com a mesma vontade de ajudar.

É uma fase necessária: uma aparência de indiferença recairá em nossos laços, uma casca de tédio grudará em nossos olhares.

Mas não durará a vida inteira, posso garantir.

Nossa comunicação não será tão fácil como antes. A adolescência altera a percepção dos pais.

Perdi o favoritismo, não adianta surgir quicando uma bola e convidando-os para jogar — não acharão graça nenhuma. A bola só trará preguiça. Seguirão com as suas conversas no celular e seus afazeres. Levarei várias negativas em meus convites para a piscina, o cinema, teatro e jantares.

Prometo não levar para o lado pessoal, não ficarei ofendido por ser posto em segundo plano.

Eu me preparei para a desimportância, guardei estoque de cartõezinhos e bilhetes de vocês pequenos, colecionei na memória as declarações de "eu te amo" da última década, ciente de que não ouvirei nenhuma jura por um longo tempo.

A vida será mais árida, mais constrangedora, mais lacônica. É um período de estranheza, porém essencial e corajoso. Todos experimentam isso, em qualquer família, não tem como adiar ou fugir.

Serei obrigado agora a bater no quarto de vocês e aguardar uma licença. Existe uma casa chaveada no interior da nossa casa. Não desfruto de chave, senha, passaporte. Não posso aparecer abrindo a porta de repente. A educação aumentará a minha ansiedade, desesperará a minha saudade. Às vezes mandarei uma mensagem no WhatsApp apenas para saber onde estão, mesmo quando estiverem dentro do apartamento. Passarei essa vergonha.

Perguntarei como estão e ganharei monossílabos de presente. Talvez um "OK". Talvez a sorte de um "tudo bem". As confissões não acontecerão espontaneamente.

Nem tenho como arrumar a bagunça da escrivaninha e as roupas pelo chão. Irei me conter para não mexer em nada. Que proeza é ser pai e não interferir. É uma profunda reeducação, doloroso aprendizado.

Não há mais como aparecer mandando, tudo que eu falar receberá uma resposta irônica e exigirá uma explicação da minha parte.

Durante a infância, vocês aceitavam qualquer parada. Eu que me mostrava o difícil, o ocupado pelo trabalho. Puxavam a manga da minha camisa para largar o computador e cumprir as promessas. A situação se inverteu, sou o mendigo pela atenção de vocês.

Não haverá alegria para passear comigo pela rua. O sol é capaz de aborrecê-los. O prato do almoço esfriará na mesa — óbvio que me avisarão que querem comer e dormir mais tarde, de preferência sozinhos.

"Me deixa em paz" despontará como um refrão diante das cobranças.

Precisarei ser mais persuasivo. Nem alcanço alguma ideia de como, para mim também é uma experiência inédita, tampouco sei agir. Os namoros e os amigos assumirão as suas prioridades.

Verei vocês somente saindo ou chegando, desprovido de convergência para um abraço demorado.

Serei o velho de vocês. As minhas piadas serão velhas. O meu vocabulário será velho. As minhas implicâncias serão velhas. As minhas ordens serão velhas. Os meus programas serão de velho.

Já não me acharão o máximo, já não sou grande coisa. Perceberam os meus pontos fracos, decoraram os meus defeitos, não acreditam mais em minhas histórias, não sou a única versão de vocês. Qualquer informação que eu dou vão checar no Google.

Mas sobreviveremos: o meu amor é imenso para resistir ao teste da diferença de geração. Espero vocês do outro lado da ternura, quando tiverem a minha idade.

MÃEZINHA

Biotipo sanguíneo?
AB+.

Alergia?
Não tenho.

Já teve sarampo, caxumba, catapora?
Sarampo.

Realizou alguma cirurgia?
Não.

Vem usando medicação?
Sim, para pressão alta, triglicerídeos e colesterol.

Como foi seu desempenho no Ensino Fundamental e Médio? Enfrentou recuperação?

No Primeiro Grau, não parava em aula. Aprontava muito, arteira conhecida pelos professores. Eu tive que assinar o livro dos piores alunos da escola — um dia te conto. Era fraca em matemática, mas me livrava no fim. Tudo o que aprendi foi no internato do Bom Conselho, no Segundo Grau.

Gostou mais da escola ou da universidade? Por quê?

Da universidade. Mais livre e com muita camaradagem. Mantenho amigos até hoje.

Qual esporte costumava praticar na infância?

Correr, jogar bola, pingue-pongue. Subir em árvores é esporte?

Você era tímida ou extrovertida?

Muito alegre, sem perder os devaneios. Minha mãe dizia que eu era sensível. Qualquer palavra podia me machucar.

O que costumava fazer nas horas vagas da meninice?

Inventar brinquedos.

Cuidou de cachorro quando pequena? Qual era o nome?
O meu primeiro cão foi o Pico.

O que queria ser quando crescesse?
Trapezista. Ainda quero ser.

Ficava de castigo?
Somente na escola, nunca apanhei de meus pais.

Quem era o seu melhor amigo durante a infância?
Nayr e Marília. Continuam sendo.

Qual o seu prato predileto?
Todos feitos pela minha mãe. Uma à la minuta caprichada. Com a proibida batata frita.

Você se sentia amada pela família?
Ainda não retribuí todo o amor que ganhei.

O que se arrepende de não ter feito?
Ter fugido com o circo.

Qual o esconderijo dos seus pensamentos?
Meus pensamentos estão à flor da pele, nenhum esconderijo funciona.

Imaginava que teria filhos?
Tive quatro, quisera eu ter mais, por isso escrevo para gerar leitores.

Acredita em Deus?
Tenho certeza de que Deus acredita em mim.

PAIZINHO

Biotipo sanguíneo?
B+.

Alergia?
Alergia a siri.

Já teve sarampo, caxumba, catapora?
Só não tive catapora.

Realizou alguma cirurgia?
Sim, vasectomia.

Vem usando medicação?
Uso diariamente remédio contra diabetes — cloridrato
de metformina.

Como foi seu desempenho no Ensino Fundamental e Médio? Enfrentou recuperação?

Meu desempenho foi excelente nas notas, acima de oito. Minha dificuldade, no primeiro clássico, foi matemática. Ganhei nota nove ou dez em tudo, segundo lugar; menos matemática, de que tive recuperação e fiquei perito.

Gostou mais da escola ou da universidade? Por quê?

Gostei mais da universidade, porque me senti em casa, sem dificuldade. Estudava Direito e lia ou escrevia poesia. Tudo se completava.

Qual esporte costumava praticar na infância?

Nenhum esporte, salvo futebol mais tarde, quando promotor. Minha musculatura era a inteligência.

Você era tímido ou extrovertido?

Venci a timidez.

O que costumava fazer nas horas vagas da meninice?

Gostava muito de ler. Cortava os livros para levá-los no bolso e lê-los no ônibus ou no caminho. Uma paixão permanente.

Cuidou de cachorro quando pequeno? Qual era o nome?
Sim. Amava um cão policial chamado Lex. Foi envenenado.

O que queria ser quando crescesse?
Queria ser embaixador. E me contentei em ser poeta e promotor. Talvez um dia... depois dos oitenta anos.

Ficava de castigo?
Sim. Meu pai me deixou algumas vezes de castigo ou sem mesada.

Quem era o seu melhor amigo durante a infância?
Sem amigos. Solitário. Só mais tarde, no Colégio Rosário, tive dois amigos: o Balduíno e o Itálico.

Qual o seu prato predileto?
Meu prato predileto é churrasco, seguido de feijoada.

Você se sentia amado pela família?
Sim, eu me sentia amado e, apesar das carências, amava.

O que se arrepende de não ter feito?
Fui imaturo no primeiro casamento. No mais, não me arrependo.

Qual o esconderijo de seus pensamentos?
Meu esconderijo sempre foi a imaginação. Escrever era a forma de criar minha água-furtada.

Imaginava que teria filhos?
Sim. E é meu orgulho e alegria. Vocação abraâmica.

Acredita em Deus?
Deus mudou minha vida. É tudo para mim e creio no Deus do impossível.

Impresso no Brasil pelo
Sistema Cameron da Divisão Gráfica da
DISTRIBUIDORA RECORD DE SERVIÇOS DE IMPRENSA S.A.
Rua Argentina, 171 – Rio de Janeiro, RJ – 20921-380 – Tel.: (21)2585-2000